SCAN THE CODE TO ACCESS YOUR FREE DIGITAL COPY OF THE VETERINARY ANATOMY COLORING BOOK

THIS BOOK BELONGS TO

TABLE OF CONTENTS

TABLE OF CONTENTS

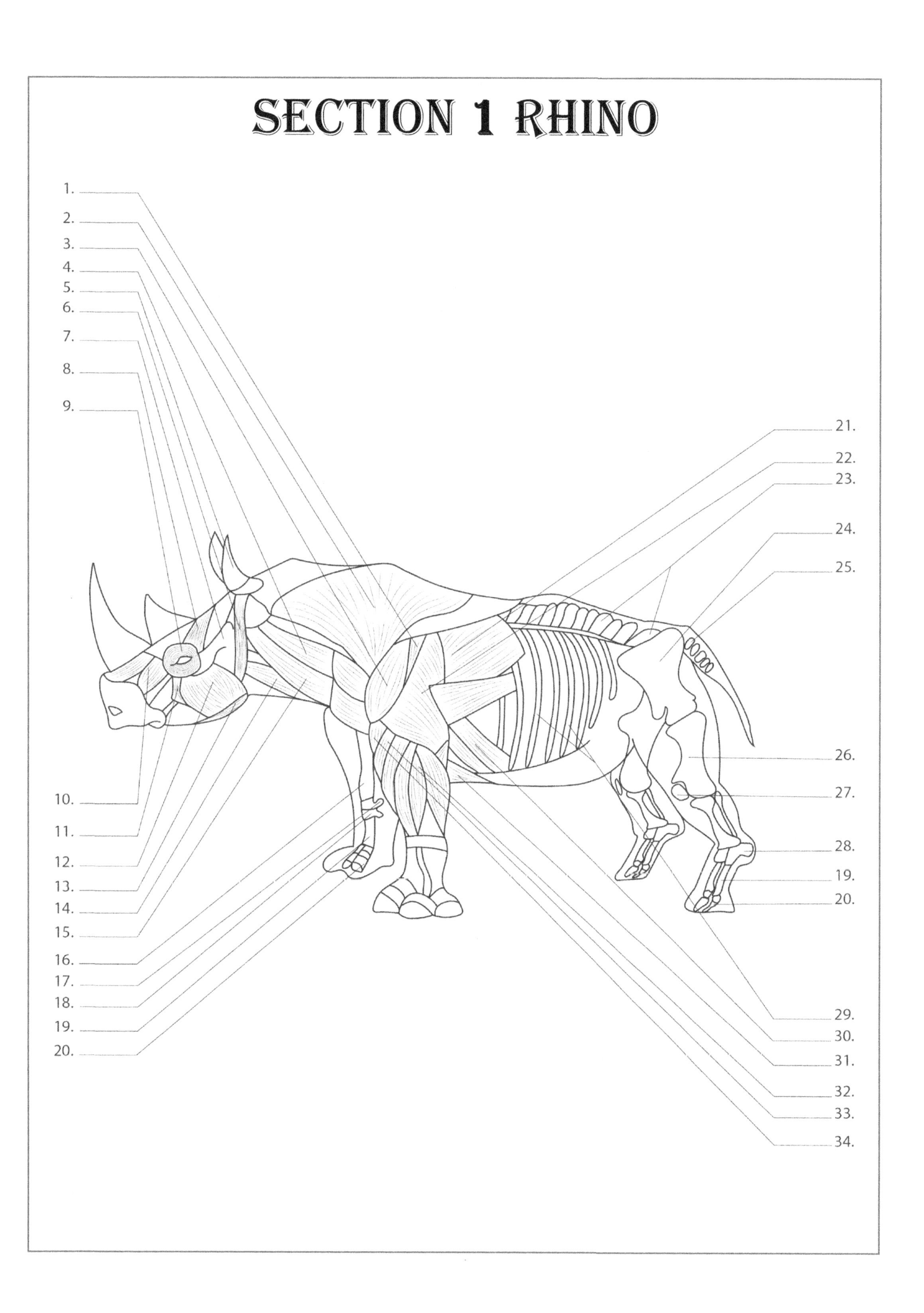
SECTION 1 RHINO
1.
2.
3.
4.
5.
6.
7.
8.
9.
10.
11.
12.
13.
14.
15.
16.
17.
18.
19.
20.
21.
22.
23.
24.
25.
26.
27.
28.
19.
20.
29.
30.
31.
32.
33.
34.

SECTION 1 RHINO

1. Muscle teres major
2. Muscle trapezium
3. Muscle deltoid
4. Muscle sternocephalicus
5. Ear
6. Muscle zygomaticus
7. Zygomatic arch
8. Muscle temporalis
9. Muscle orbicularis oculi
10. Muscle levator nasolabialis
11. Muscle malaris
12. Muscle masseter
13. Muscle mylohyloid
14. Muscle digastric
15. Muscle sternomastoid
16. Radius
17. Piriform bone
18. Carpus
19. Metacarpus
20. Phalanges
21. Muscle latissimus dorsa
22. Muscle triceps
23. Lumbar vertebrae
24. Pelvis
25. Caudal vertebrae
26. Femur
27. Patella
28. Ancus
29. Ribs
30. Muscle external abdominal oblique
31. Muscle pectoralis ascendens
32. Muscle wrist and digit extensors
33. Muscle extensor carpi radialis
34. Muscle brachialis

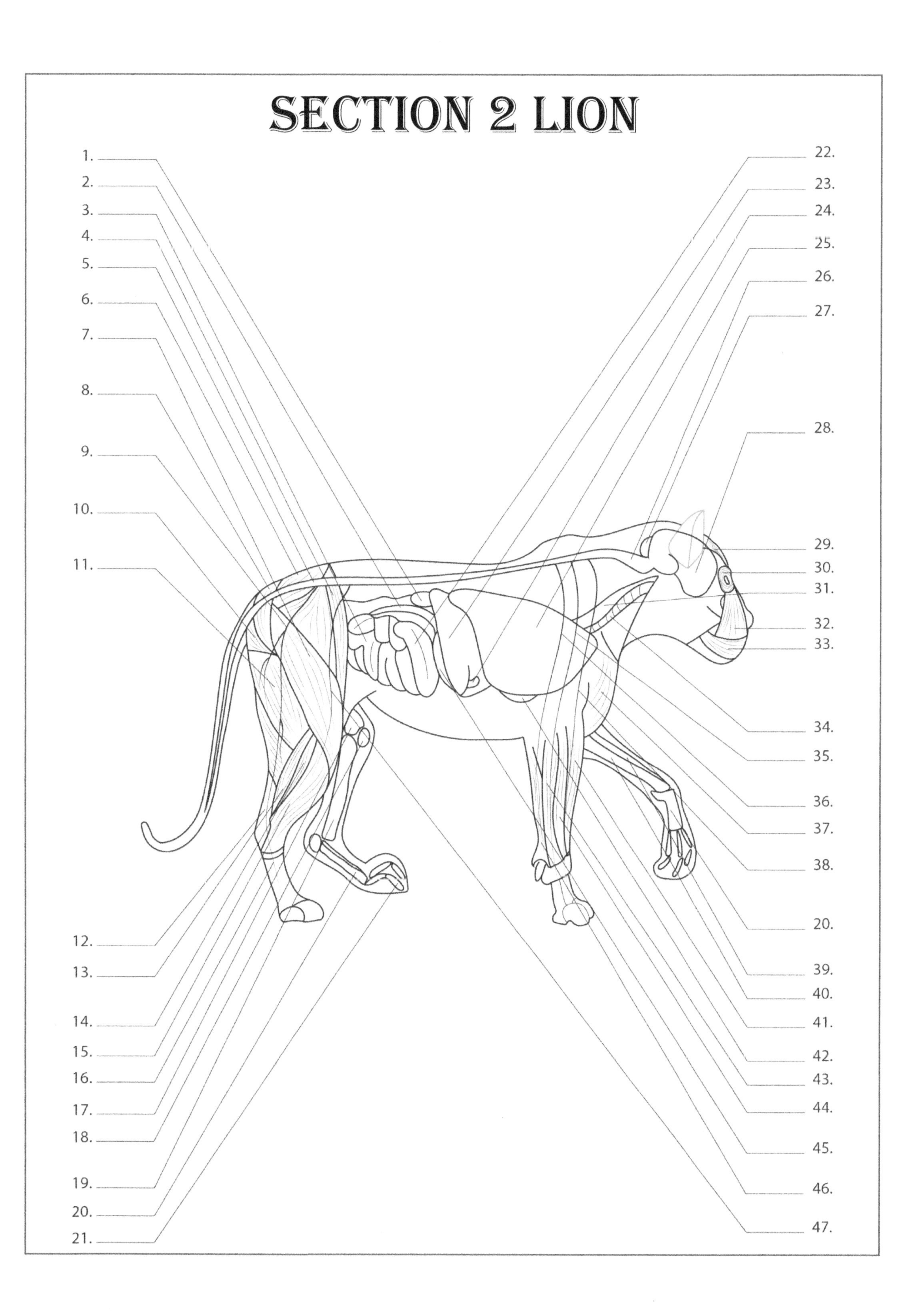
SECTION 2 LION
1.
2.
3.
4.
5.
6.
7.
8.
9.
10.
11.
12.
13.
14.
15.
16.
17.
18.
19.
20.
21.
22.
23.
24.
25.
26.
27.
28.
29.
30.
31.
32.
33.
34.
35.
36.
37.
38.
20.
39.
40.
41.
42.
43.
44.
45.
46.
47.

SECTION 2 LION

1. Kidneys
2. Pancreas
3. Small intestine
4. Muscle satrorius
5. Spinal cord
6. Muscle tensor fascia latae
7. Muscle vastus lateralis
8. Muscle gluteus maximum
9. Sciatic nerve
10. Muscle caudal femoris
11. Muscle biceps femoris
12. Achilles tendon
13. Muscle peroneus longus
14. Muscle extensor digitorum longus
15. Muscle tibialis cranfalis
16. Tibial nerve
17. Femur
18. Patella
19. Tibia
20. Metatarsus
21. Phalanges
22. Large intestine
23. Liver
24. Gallbladder
25. Lungs
26. Brain stem
27. Cerebellum
28. Cerebral hemisphere
29. Muscle temporalis
30. Muscle orbicularis oculi
31. Esophagus
32. Muscle levator nasolabialis
33. Muscle orbicularis oris
34. Trachea
35. Median nerve
36. Ulnar nerve
37. Muscle brachiocephalicus
38. Radial nerve
39. Radius
40. Ulna
41. Muscle extensor digitoris communis
42. Heart
43. Muscle extensor carpi ulnaris
44. Muscle extensor digitorum lateralis
45. Stomach
46. Muscle flexor carpi ulnaris
47. Femoral nerve

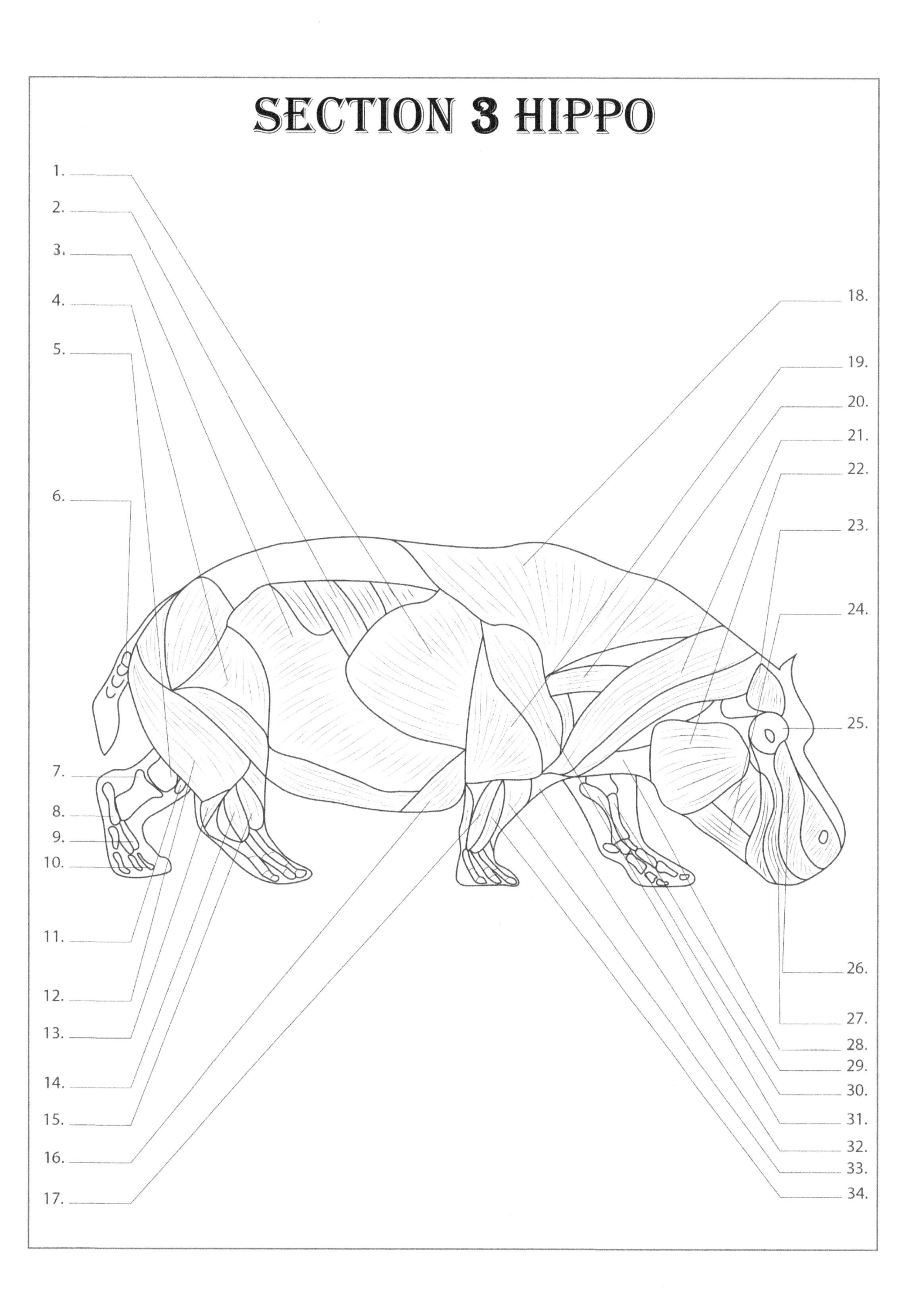
SECTION 3 HIPPO
1.
2.
3.
4.
5.
6.
7.
8.
9.
10.
11.
12.
13.
14.
15.
16.
17.
18.
19.
20.
21.
22.
23.
24.
25.
26.
27.
28.
29.
30.
31.
32.
33.
34.

SECTION 3 HIPPO

1. Muscle latissimus dorsi
2. Muscle serratus
3. Muscle oblique abdomen
4. Muscle tensor fascia latae
5. Femur
6. Coccygeal vertebra
7. Fibula
8. Calcaneus
9. Metatarsus
10. Phalanges
11. Patella
12. Muscle biceps femur
13. Muscle deep digital flexor
14. Muscle extensor digitorum pedis lsteralis
15. Muscle extensor digitorum longus
16. Muscle pectoralis
17. Muscle extensor carpi ulnaris
18. Muscle trapezius
19. Muscle triceps
20. Muscle splenius
21. Muscle brachiocephalis
22. Muscle masseter
23. Muscle temporalis
24. Muscle lower lip depressor
25. Muscle orbicularis oculi
26. Muscle levator lip
27. Muscle orbicularis oris
28. Muscle sternohyoideus
29. Ulna
30. Radia
31. Muscle deltoid
32. Muscle brachialis
33. Muscle extensor carpi radialis
34. Muscle extensor digitorum communis

SECTION 4 PARROT
1.
2.
3.
4.
5.
6.
7.
8.
9.
10.
11.
12.
13.
14.
15.
16.
17.

SECTION 4 PARROT

1. Beak
2. Traches
3. Crop
4. Pectoral muscle
5. Liver
6. Duodenum
7. Pancreas
8. Ear
9. Esophagus
10. Heart
11. Lungs
12. Proventricle
13. Kidney
14. Ventricle or gizzard
15. Small intestine
16. Cloaca
17. Anus or vent

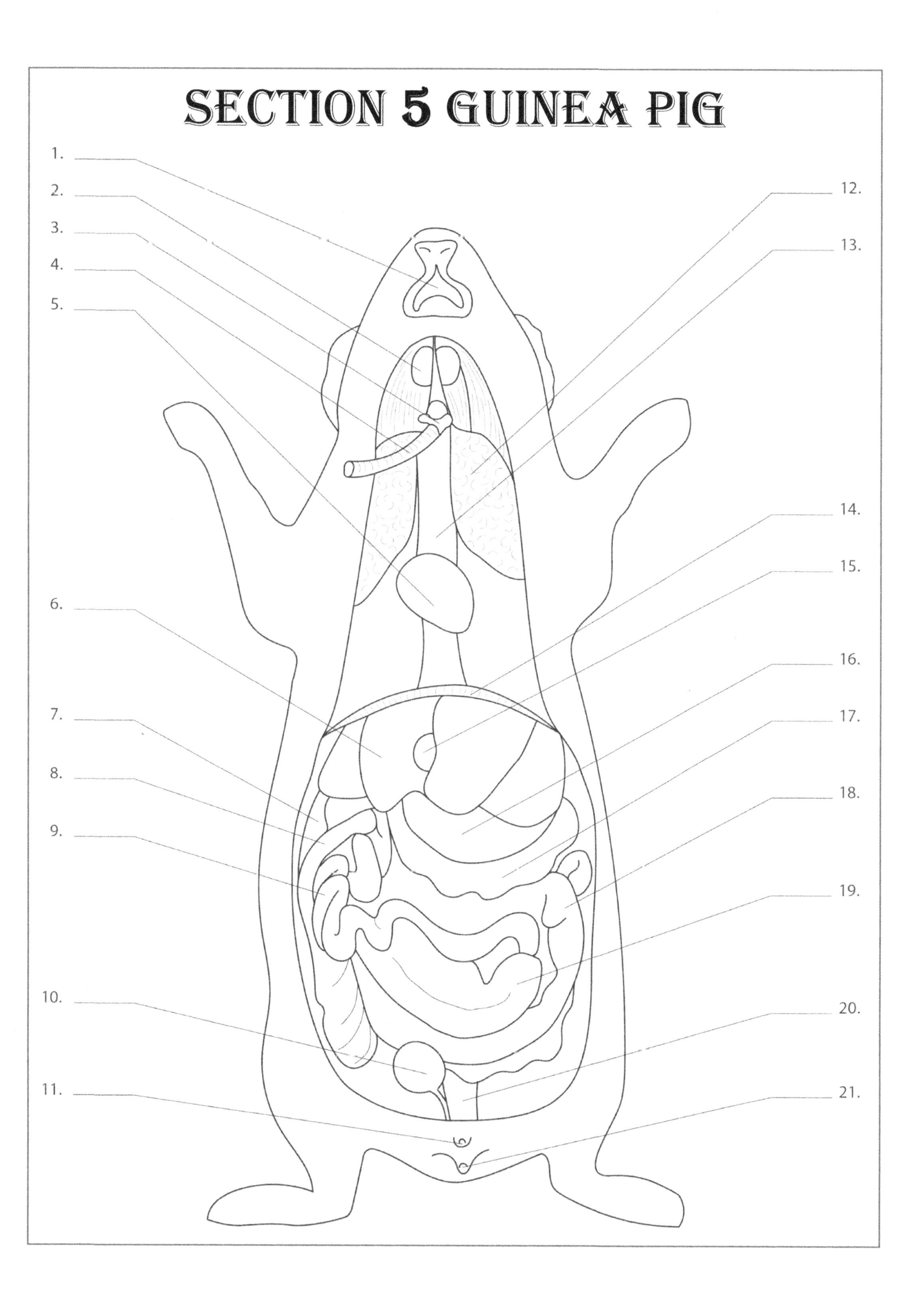
SECTION 5 GUINEA PIG
1.
2.
3.
4.
5.
6.
7.
8.
9.
10.
11.
12.
13.
14.
15.
16.
17.
18.
19.
20.
21.

SECTION 5 GUINEA PIG

1. Mouth
2. Submaxillary gland
3. Larynx
4. Trachea
5. Heart
6. Liver
7. Jejunum
8. Duodenum
9. Ileum
10. Bladder
11. Urethra
12. Lungs
13. Esophagus
14. Diaphragm
15. Gallbladder
16. Stomach
17. Transverse colon
18. Ascending colon
19. Caecum
20. Rectum
21. Anus

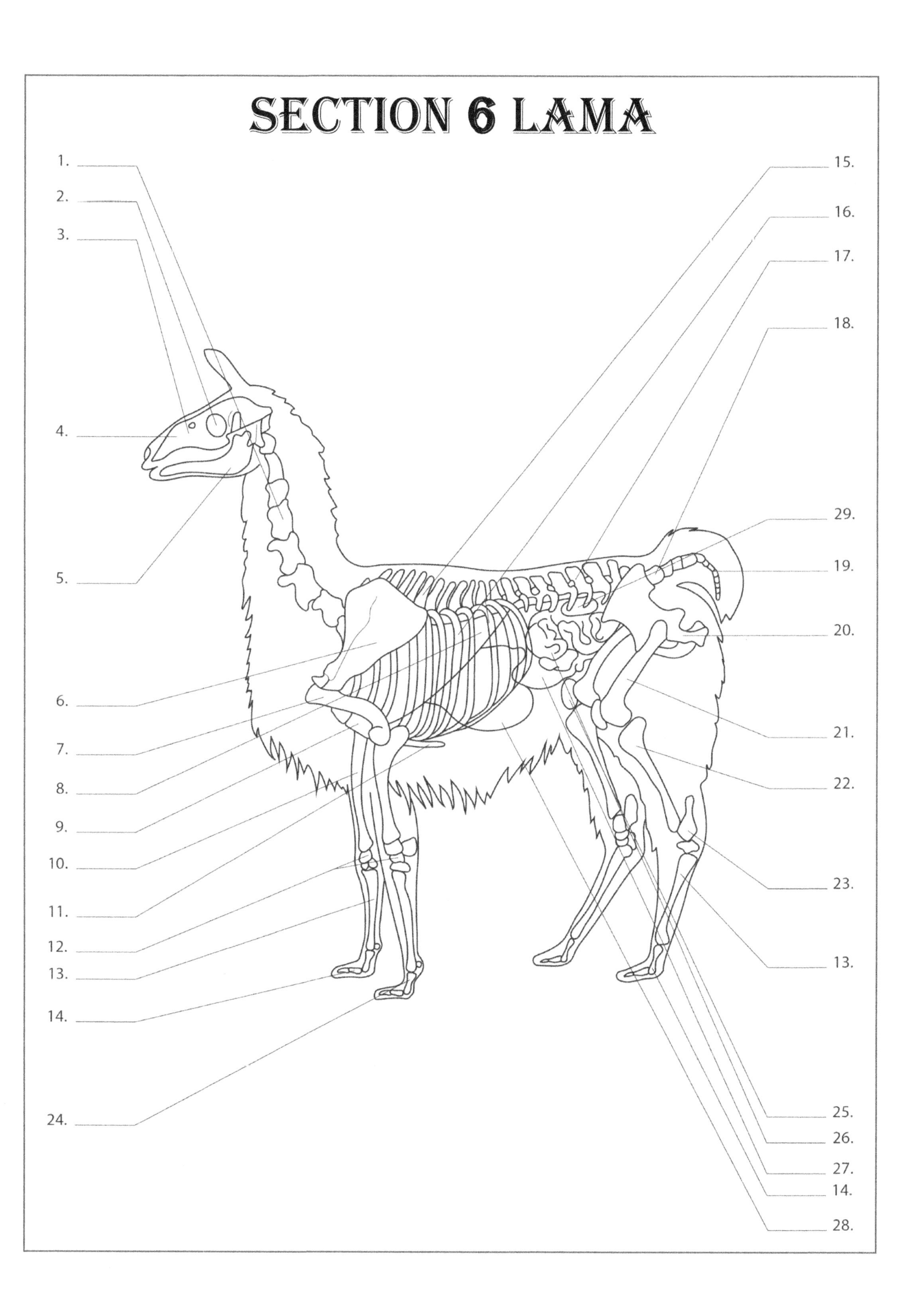
SECTION 6 LAMA
1.
2.
3.
4.
5.
6.
7.
8.
9.
10.
11.
12.
13.
14.
24.
15.
16.
17.
18.
29.
19.
20.
21.
22.
23.
13.
25.
26.
27.
14.
28.

SECTION 6 LAMA

1. Cervical vertebrae
2. Orbit
3. Skull
4. Maxilla
5. Mandibla
6. Scapula
7. Humerus
8. Lungs
9. Sternum
10. Radius
11. Xiphoid process
12. Carpus
13. Metacarpus (cannon)
14. Phalanges
15. Thoracic vertebrae
16. Ribs
17. Lumbar vertebrae
18. Sacrum
19. Caudal vertebrae
20. Pelvis
21. Femur
22. Tibia
23. Tarsus
24. Pastern
25. Patella
26. Small intestine
27. Stomach
28. Liver
29. Kidney

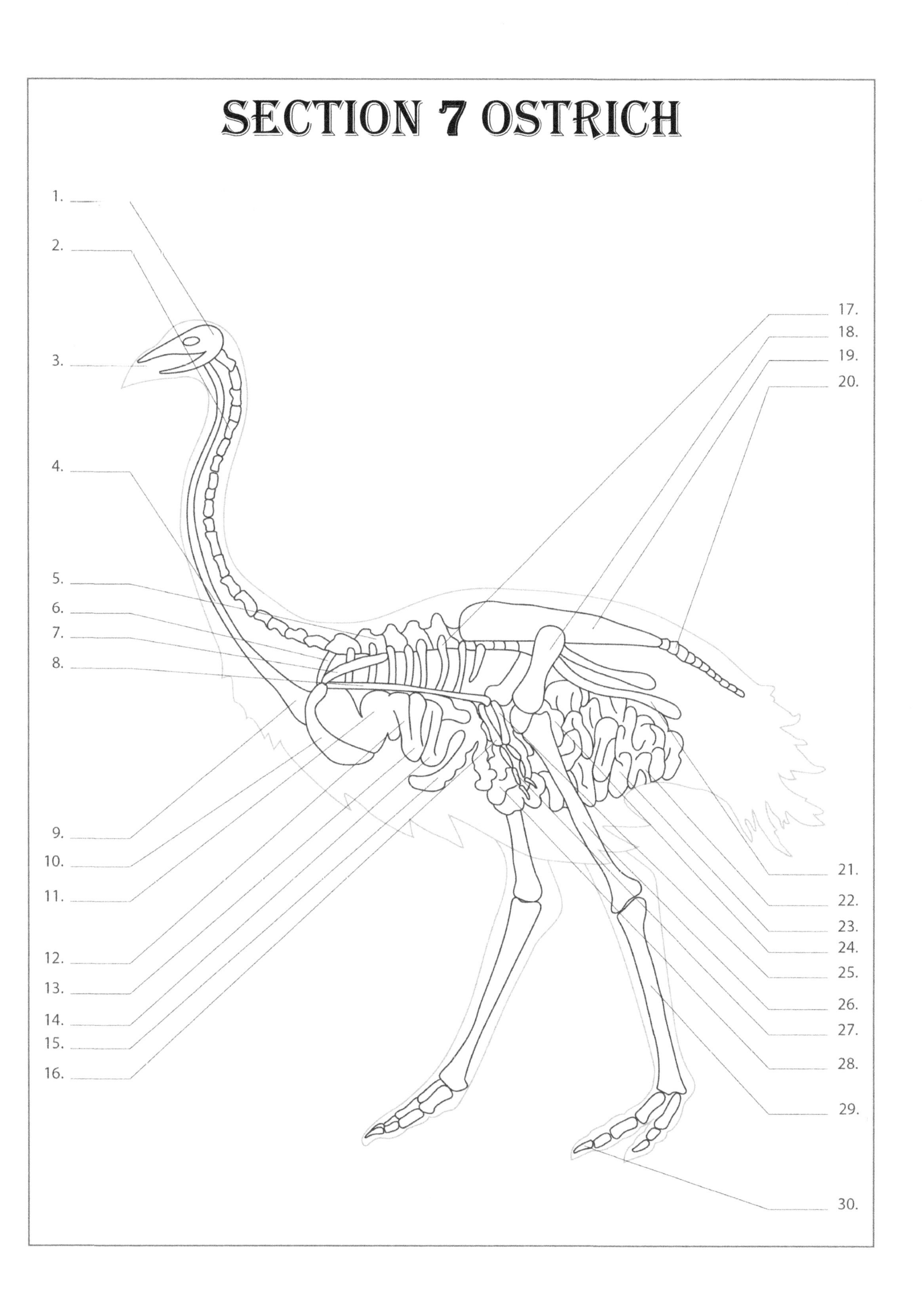
SECTION 7 OSTRICH
1.
2.
3.
4.
5.
6.
7.
8.
9.
10.
11.
12.
13.
14.
15.
16.
17.
18.
19.
20.
21.
22.
23.
24.
25.
26.
27.
28.
29.
30.

SECTION 7 OSTRICH

1. Skull
2. Cervical vertebrae
3. Mouth and beak
4. Esophagus
5. Thoracic vertebrae
6. Clavicle
7. Scapula
8. Humerus
9. Proventriculus
10. Sternum
11. Gizzard
12. Duodenum
13. Jejunum
14. Ileum
15. Caecum
16. Radius
17. Ribs
18. Femur
19. Pelvis
20. Caudal vertebrae
21. Pubis
22. Cloaca
23. Distal colon
24. Middle colon
25. Ulna
26. Tibiotarsus
27. Phalanges
28. Proximal colon
29. Tarsometatarsus
30. Pedal phalanges

SECTION 8 SCORPION

1.
2.
3.
4.
5.
6.
7.
8.
9.
10.
11.
12.
13.
14.
15.
16.
17.
18.
19.
20.
21.
22.
23.
24.

SECTION 8 SCORPION

1. Hind gut
2. Anus valves
3. Diaphragm
4. Prosome shield
5. Eyes
6. Brain
7. Mouth
8. Gnathocoxal glands
9. Pharynges
10. Sub esophageal nervous mass
11. Coxal gland
12. Genital system
13. Nervous cord
14. Venom vesicle
15. Sting
16. Ileon
17. Sub intestine artery
18. Malpighian tubes
19. Mid gut
20. Heart
21. Digestive gland
22. Book lung
23. Venous sinus
24. Legs

SECTION 9 CAMEL

1.
2.
3.
4.
5.
6.
7.
8.
9.
10.
11.
12.
13.
14.
15.
16.
17.
18.
19.
20.
21.
22.
23.
24.
25.
26.
27.
28.
29.
30.
31.
32.
33.
34.
35.
36.

SECTION 9 CAMEL

1. Cerebellum
2. Cerebral hemisphere
3. Brain stem
4. Orbicularis oculi
5. Spinal cord
6. Masseter
7. Cervical vertebrae
8. Scapula
9. Ribs
10. Diaphragm
11. Humerus
12. Brachioradialis muscle
13. Extensor digitorum communis muscle
14. Extensor carpi ulnaris muscle
15. Pectoralis muscle
16. Radius
17. Carpal bones
18. Thoracic vertebrae
19. Lungs
20. Kidney
21. Gluteus medius muscle
22. Pelvis
23. Coccygeus
24. Biceps femoris muscle
25. Semimembranosus muscle
26. Femur
27. Tibia
28. Tarsal bones
29. Proneus longus muscle
30. Cannon bone
31. Phalanges
32. Achilles tendon
33. Extensor digitorum muscle
34. Small intestine
35. Stomach
36. Liver

SECTION 10 KANGAROO

1.
2.
3.
4.
5.
6.
7.
8.
9.
10.
11.
12.
13.
14.
15.
16.
17.
18.
19.
20.
21.
22.
23.
24.
25.
26.
27.
28.
29.
30.
31.
32.
33.
34.
35.
36.
37.
38.
39.
40.
41.
42.

SECTION 10 KANGAROO

1. Muscle gluteus medius
2. Tensor fascia lutae
3. Muscle gluteus superficialis anterior
4. Muscle sartorius
5. Muscle vastus lateralis
6. Muscle gluteus superficialis posterior
7. Muscle biceps femoris
8. Femur
9. Muscle coccygeus
10. Patella
11. Muscle sacrocaudalis dorsalis
12. Muscle semitendinosus
13. Muscle semimembranosus
14. Muscle gastroenemius
15. Muscle rectus abdominus
16. Muscle flexor digitorum profundus
17. Muscle sacrocaudalis ventralis
18. Muscle peroneus longus
19. Fibula
20. Tarsals
21. Metatarsals
22. Phalanges
23. Kidney
24. Small intestine
25. Liver
26. Hindstomach
27. Tubiform forestomach
28. Saciform forestomach
29. Lungs
30. Scapula
31. Esophagus
32. Cervical vertebrae
33. Heart
34. Sternum
35. Humerus
36. Ulna
37. Radius
38. Muscle extensor carpi radialis
39. Muscle extensor digitorum communis
40. Muscle extensor digitorum lateralis
41. Muscle extensor carpi ulnaris
42. Tibia

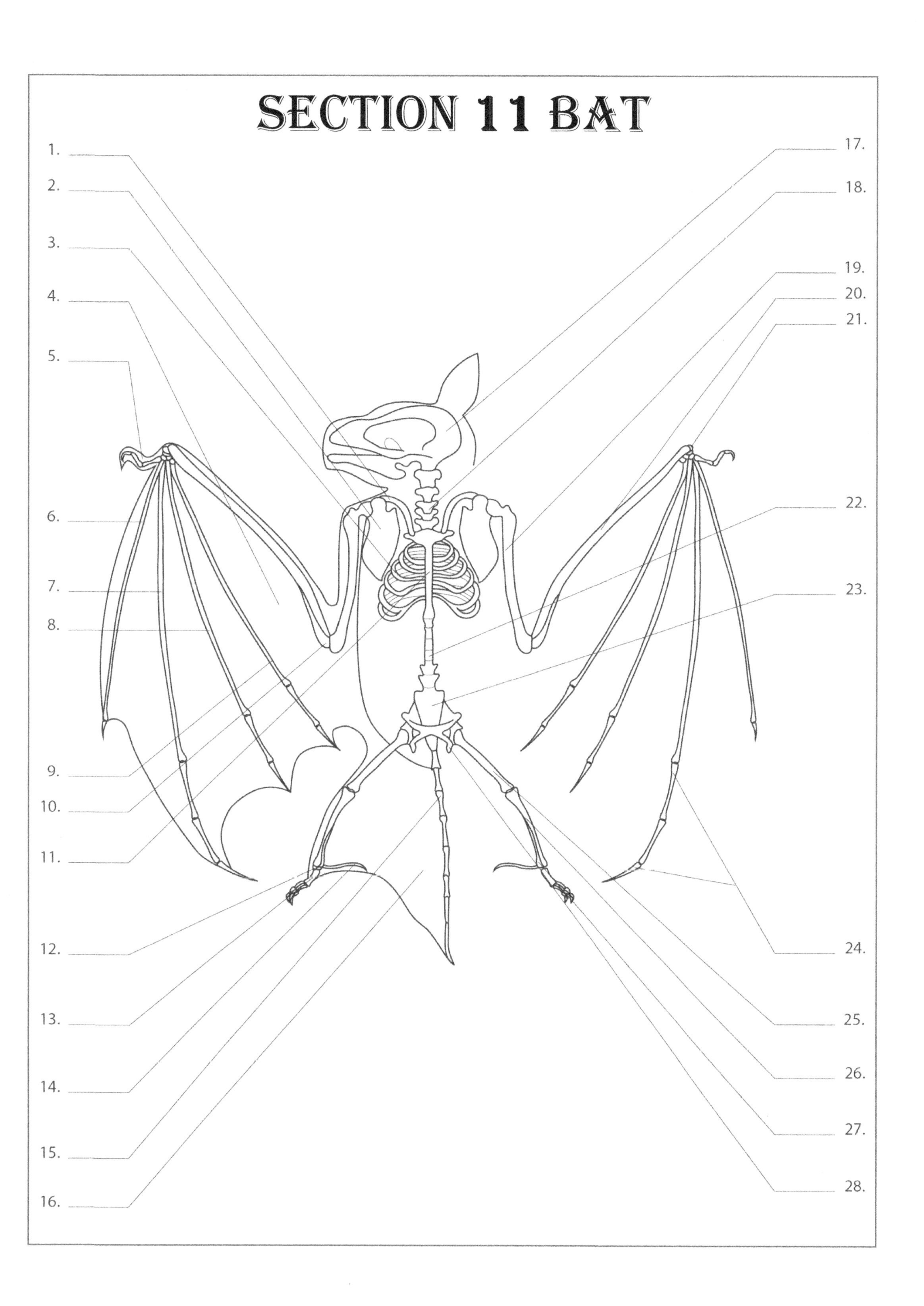
SECTION 11 BAT
1.
2.
3.
4.
5.
6.
7.
8.
9.
10.
11.
12.
13.
14.
15.
16.
17.
18.
19.
20.
21.
22.
23.
24.
25.
26.
27.
28.

SECTION 11 BAT

1. Clavicle
2. Scapula
3. Rib
4. Wing membrane
5. Thumb
6. 2nd finger
7. 3rd finger
8. 4th finger
9. 5th finger
10. Ulna
11. Sternum
12. Tarsus
13. Metatarsus
14. Calcar
15. Caudal vertebrae
16. Tail membrane
17. Skull
18. Cervical vertebrae
19. Clavicle
20. Humerus
21. Carpus
22. Lumbar vertebrae
23. Sacrum
24. Phalanges
25. Femur
26. Tibia
27. Fibula
28. Pelvis

SECTION 12 WOLF

1.
2.
3.
4.
5.
6.
7.
8.
9.
10.
11.
12.
13.
14.
15.
16.
17.
18.
19.
20.
21.
22.
23.
24.
25.
26.
27.
28.
29.
30.
31.
32.
33.
34.
35.
36.

SECTION 12 WOLF

1. Spinal cord
2. Cerebellum
3. Brain stem
4. Cerebral hemisphere
5. Spleen
6. Stomach
7. Esophagus
8. Trachea
9. Lungs
10. Heart
11. Humerus
12. Radius
13. Ulna
14. Muscle extensor carpi radialis
15. Muscle extensor carpi digitorum communis
16. Muscle extensor carpi ulnaris
17. Muscle flexor carpi ulnaris
18. Kidney
19. Small intestine
20. Colon
21. Muscle sartorius
22. Muscle gluteus medius
23. Muscle levator of the tale
24. Muscle biceps femoris
25. Muscle extensor digitorum longus
26. Muscle peroneus brevis
27. Muscle gluteus superficialis
28. Femur
29. Patella
30. Fibula
31. Tibia
32. Tarsals
33. Metatarsals
34. Phalanges
35. Liver
36. Muscle triceps brachii

SECTION 13 FOX

1.
2.
3.
4.
5.
6.
7.
8.
9.
10.
11.
12.
13.
14.
15.
16.
17.
18.
19.
20.
21.
22.
23.
24.
25.
26.
27.
28.
29.
30.
31.

SECTION 13 FOX

1. Pancreatic gland
2. Kidney
3. Ovary
4. Ureter
5. Oviduct
6. Uterus
7. Large intestine
8. Rectum
9. Urinary bladder
10. Femoral nerve
11. Sciatic nerve
12. Small intestine
13. Spleen
14. Tibial nerve
15. Tibia
16. Tarsus
17. Liver
18. Lungs
19. Spinal cord
20. Heart
21. Cerebellum
22. Cerebrum
23. Esophagus
24. Trachea
25. Thymus
26. Humerus
27. Ulna
28. Radius
29. Gall bladder
30. Metatarsus
31. Stomach

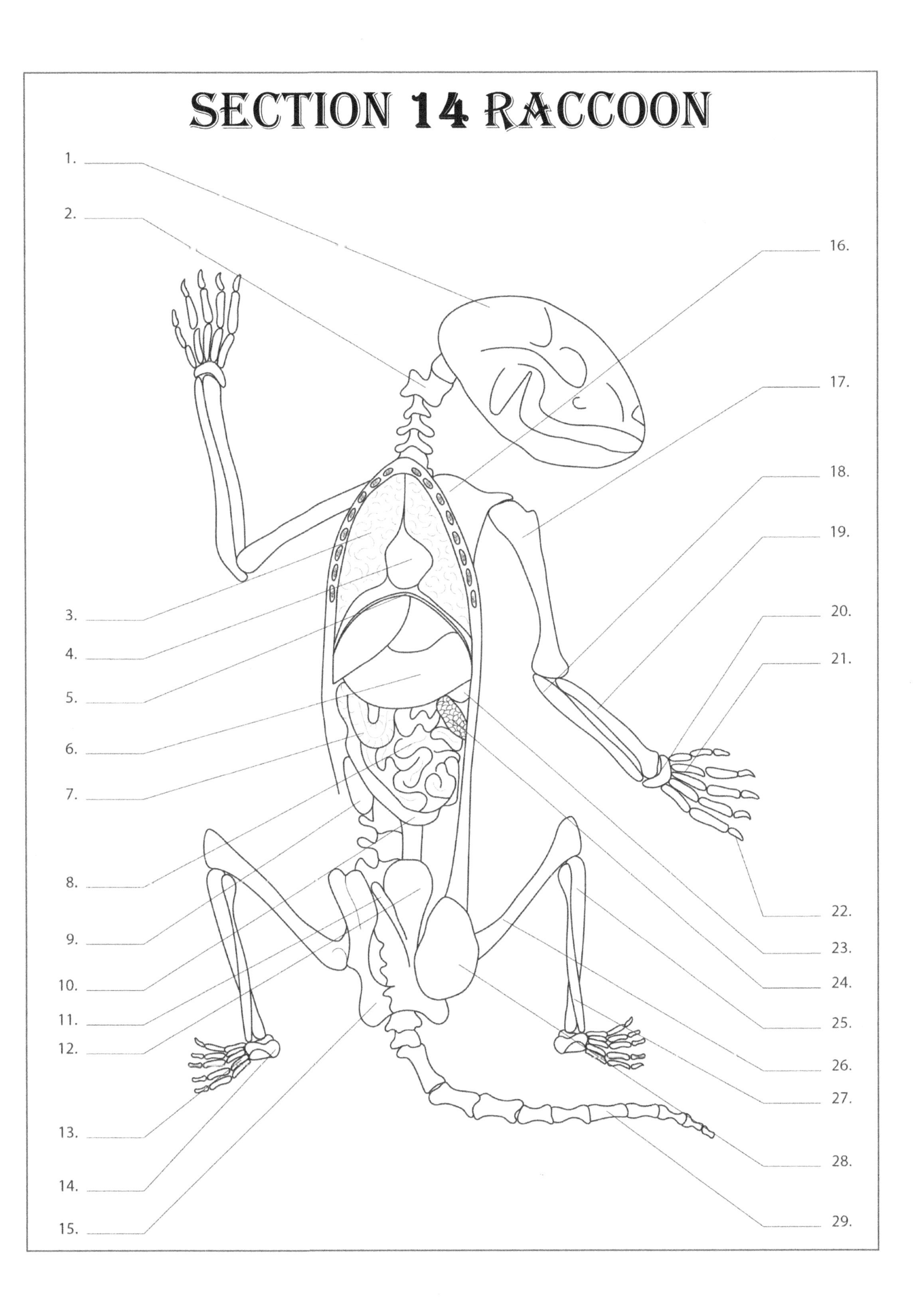
SECTION 14 RACCOON
1.
2.
3.
4.
5.
6.
7.
8.
9.
10.
11.
12.
13.
14.
15.
16.
17.
18.
19.
20.
21.
22.
23.
24.
25.
26.
27.
28.
29.

SECTION 14 RACCOON

1. Skull
2. Cervical vertebrae
3. Lungs
4. Heart
5. Diaphragm
6. Liver
7. Large intestine
8. Small intestine
9. Kidney
10. Appendix
11. Seminal vesicle
12. Bladder
13. Metatarsals
14. Tarsals
15. Pelvis
16. Scapula
17. Humerus
18. Ulna
19. Radius
20. Carpals
21. Metacarpals
22. Phalanges
23. Stomach
24. Spleen
25. Tibia
26. Femur
27. Fibula
28. Testis epididymis
29. Cauda

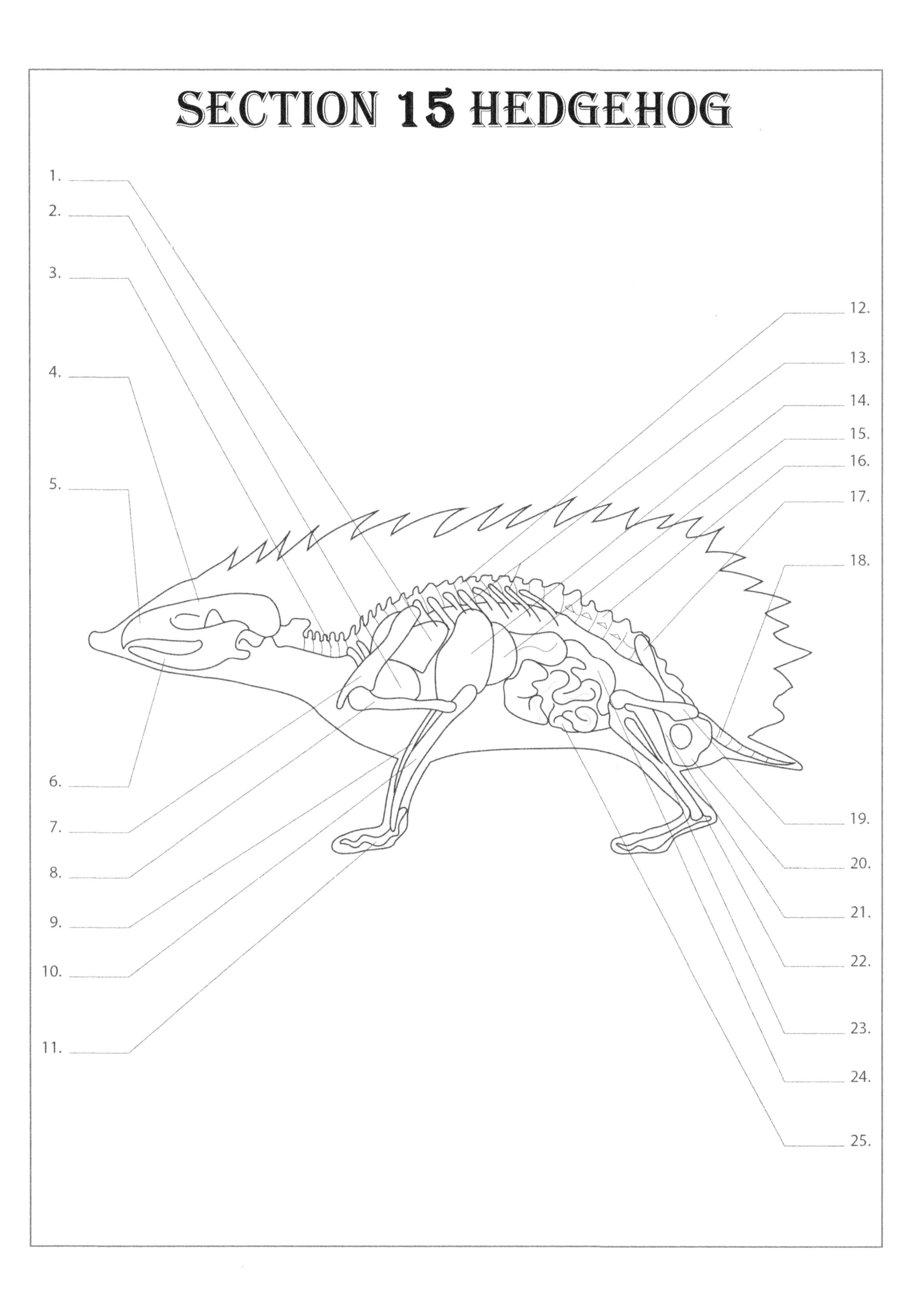
SECTION 15 HEDGEHOG
1.
2.
3.
4.
5.
6.
7.
8.
9.
10.
11.
12.
13.
14.
15.
16.
17.
18.
19.
20.
21.
22.
23.
24.
25.

SECTION 15 HEDGEHOG

1. Lungs
2. Heart
3. Cervical vertebrae
4. Skull
5. Maxilla
6. Mandible
7. Scapula
8. Humerus
9. Radius
10. Ulna
11. Phalanges
12. Thoracic vertebrae
13. Ribs
14. Liver
15. Stomach
16. Lumbar vertebrae
17. Sacrum
18. Caudal vertebrae
19. Femur
20. Ischium
21. Pubis
22. Calcaneus
23. Tibia
24. Large intestine
25. Small intestine

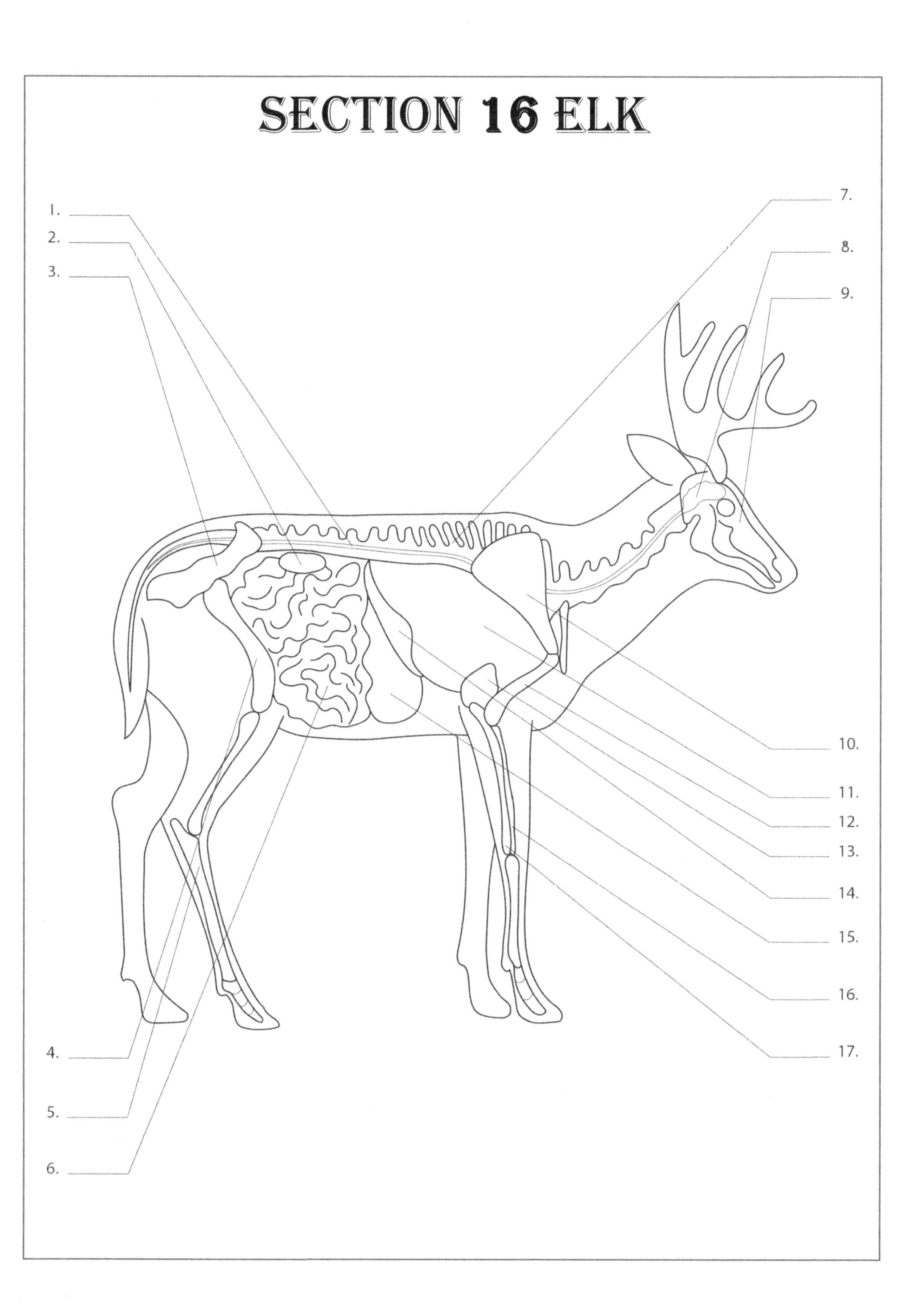
SECTION 16 ELK
1.
2.
3.
4.
5.
6.
7.
8.
9.
10.
11.
12.
13.
14.
15.
16.
17.

SECTION 16 ELK

1. Spinal cord
2. Kidneys
3. Pelvis
4. Femur
5. Tibia
6. Intestine
7. Vertebrae
8. Brain
9. Skull
10. Scapula
11. Lungs
12. Humerus
13. Heart
14. Liver
15. Stomach
16. Radius
17. Ulna

SECTION 17 SLOTH

1.
2.
3.
4.
5.
6.
7.
8.
9.
10.
11.
12.
13.
14.
15.
16.
17.
18.
19.
20.
21.

SECTION 17 SLOTH

1. Vertebral column
2. Lungs
3. Stomach
4. Kidney
5. Sacrum
6. Colon
7. Small intestine
8. Bladder
9. Femur
10. Fibula
11. Tibia
12. Patella
13. Scapula
14. Skull
15. Humerus
16. Heart
17. Liver
18. Toes
19. Carpal
20. Ulna
21. Radius

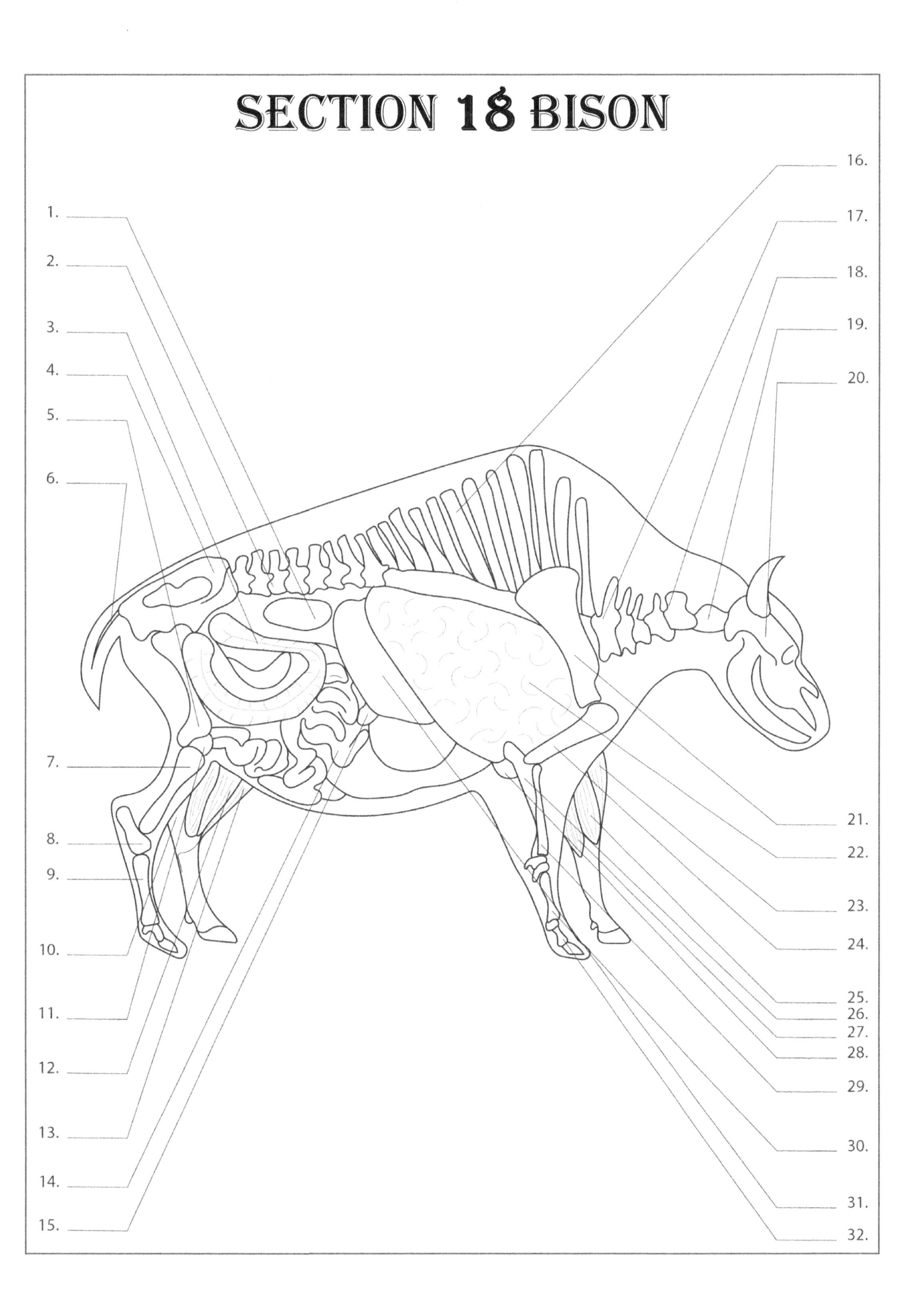
SECTION 18 BISON
1.
2.
3.
4.
5.
6.
7.
8.
9.
10.
11.
12.
13.
14.
15.
16.
17.
18.
19.
20.
21.
22.
23.
24.
25.
26.
27.
28.
29.
30.
31.
32.

SECTION 18 BISON

1. Kidney
2. Lumbar vertebrae
3. Large intestine
4. Sacrum
5. Femur
6. Caudal
7. Tibia
8. Tarsals
9. Metatarsal
10. Achilles tendon
11. Patella
12. Muscle extensor digitorum longus
13. Muscle peroneus
14. Small intestine
15. Gall bladder
16. Thoracic vertebrae
17. Cervical vertebrae
18. Axis
19. Atlas
20. Skull
21. Scapula
22. Lungs
23. Muscle brachioradialis
24. Humerus
25. Muscle extensor carpi radialis
26. Ulna
27. Muscle flexor carpi ulnaris
28. Heart
29. Radius
30. Metacarpal
31. Liver
32. Phalanges

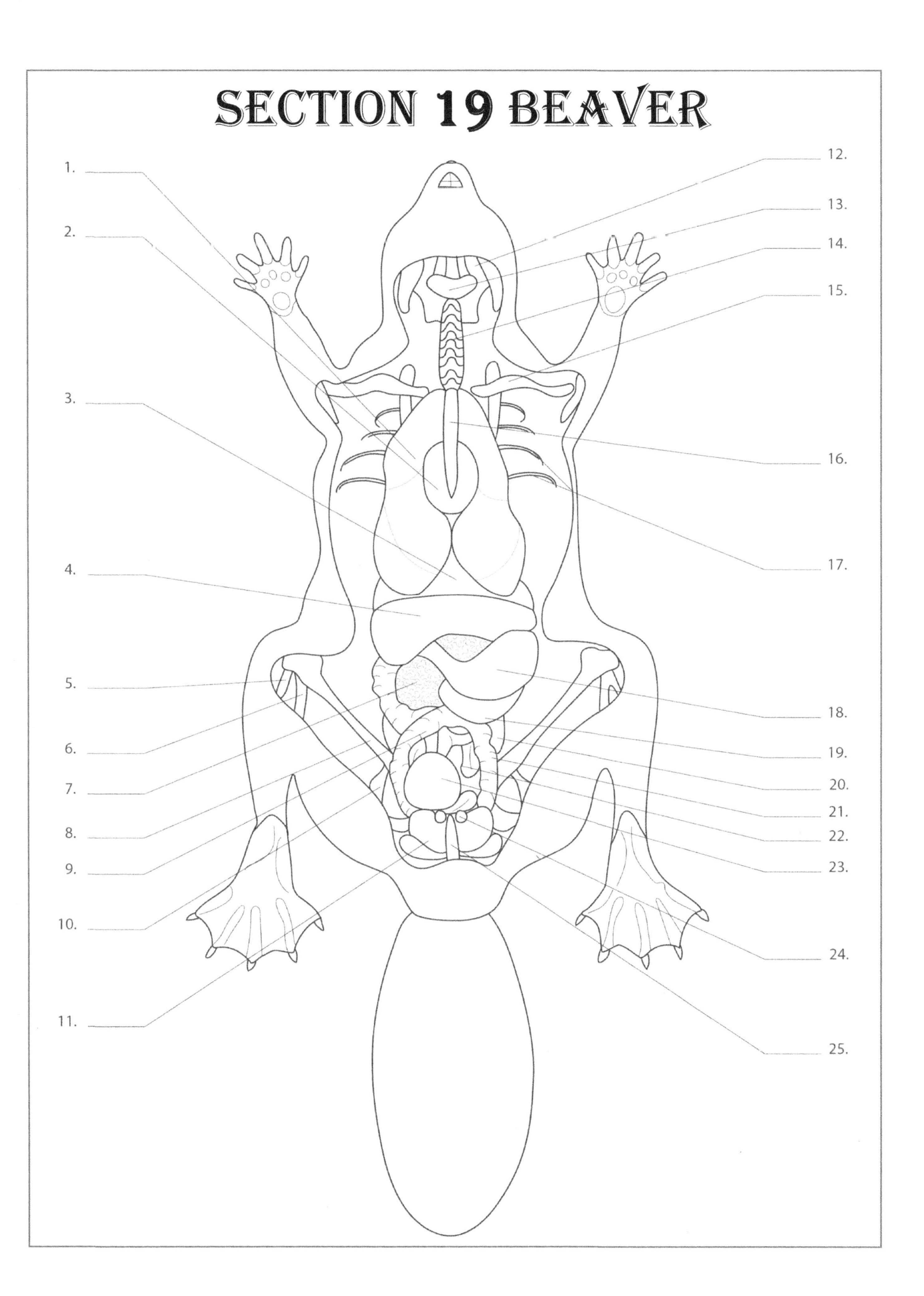
SECTION 19 BEAVER
1.
2.
3.
4.
5.
6.
7.
8.
9.
10.
11.
12.
13.
14.
15.
16.
17.
18.
19.
20.
21.
22.
23.
24.
25.

SECTION 19 BEAVER

1. Lungs
2. Heart
3. Diaphragm
4. Liver
5. Tibia
6. Fibula
7. Pancreas
8. Femur
9. Ascending colon
10. Pelvis
11. Anal glands
12. Skull
13. Brain
14. Vertebrae
15. Scapula
16. Sternum
17. Ribs
18. Stomach
19. Spleen
20. Kidney
21. Descending colon
22. Small intestine
23. Bladder
24. Testicle
25. Penis

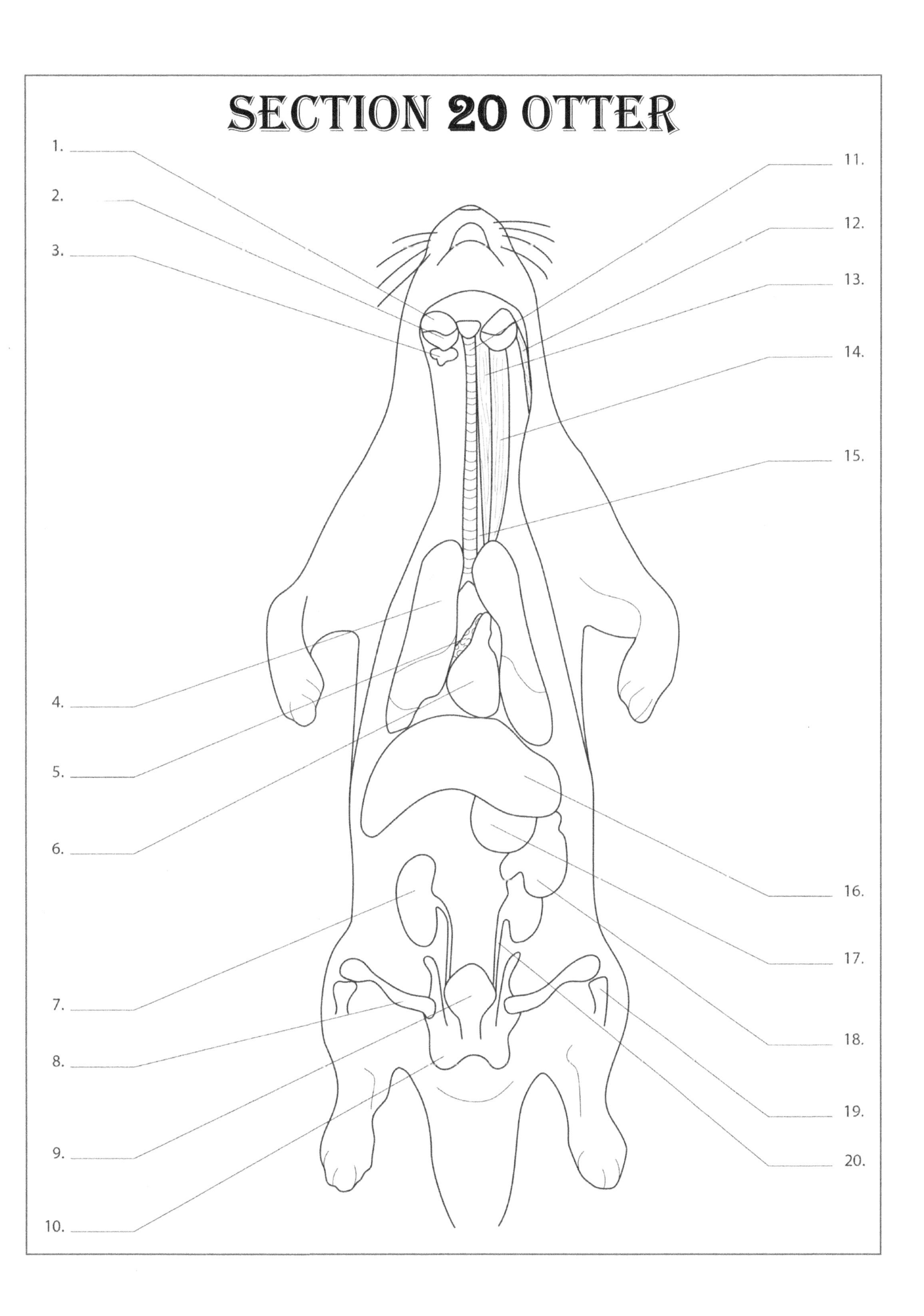
SECTION 20 OTTER
1.
2.
3.
4.
5.
6.
7.
8.
9.
10.
11.
12.
13.
14.
15.
16.
17.
18.
19.
20.

SECTION 20 OTTER

1. Sublingual salivary gland
2. Mandibular salivary gland
3. Medial retropharyngeal lymph
4. Lungs
5. Thymus
6. Heart
7. Kidney
8. Femur
9. Bladder
10. Ischium
11. Trachea
12. Muscle sternocephalicus
13. Muscle sternohyoideus
14. Muscle sternothyroideus
15. Esophagus
16. Liver
17. Stomach
18. Spleen
19. Tibia
20. Ureter

SECTION 21 WHALE

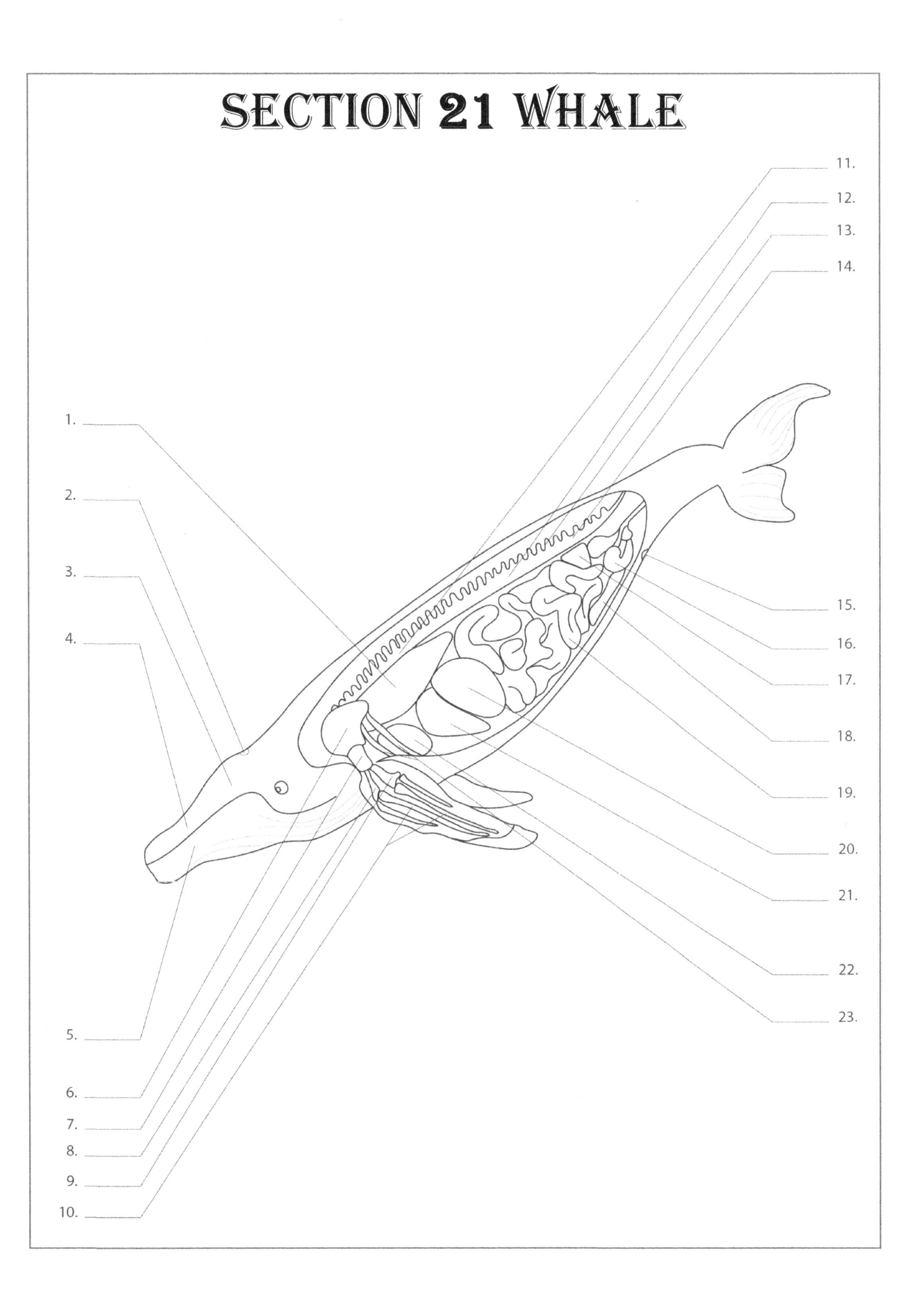

SECTION 21 WHALE

1. Lungs
2. Blowhole
3. Skull
4. Rostrum
5. Lower mandible
6. Scapula
7. Humerus
8. Radius
9. Ulna
10. Phalanges
11. Thoracic vertebrae
12. Lumbar vertebrae
13. Spinous process
14. Caudal vertebrae
15. Anus
16. Reproductive tract
17. Kidney
18. Bladder
19. Large intestine
20. Stomach
21. Liver
22. Heart
23. Ribs

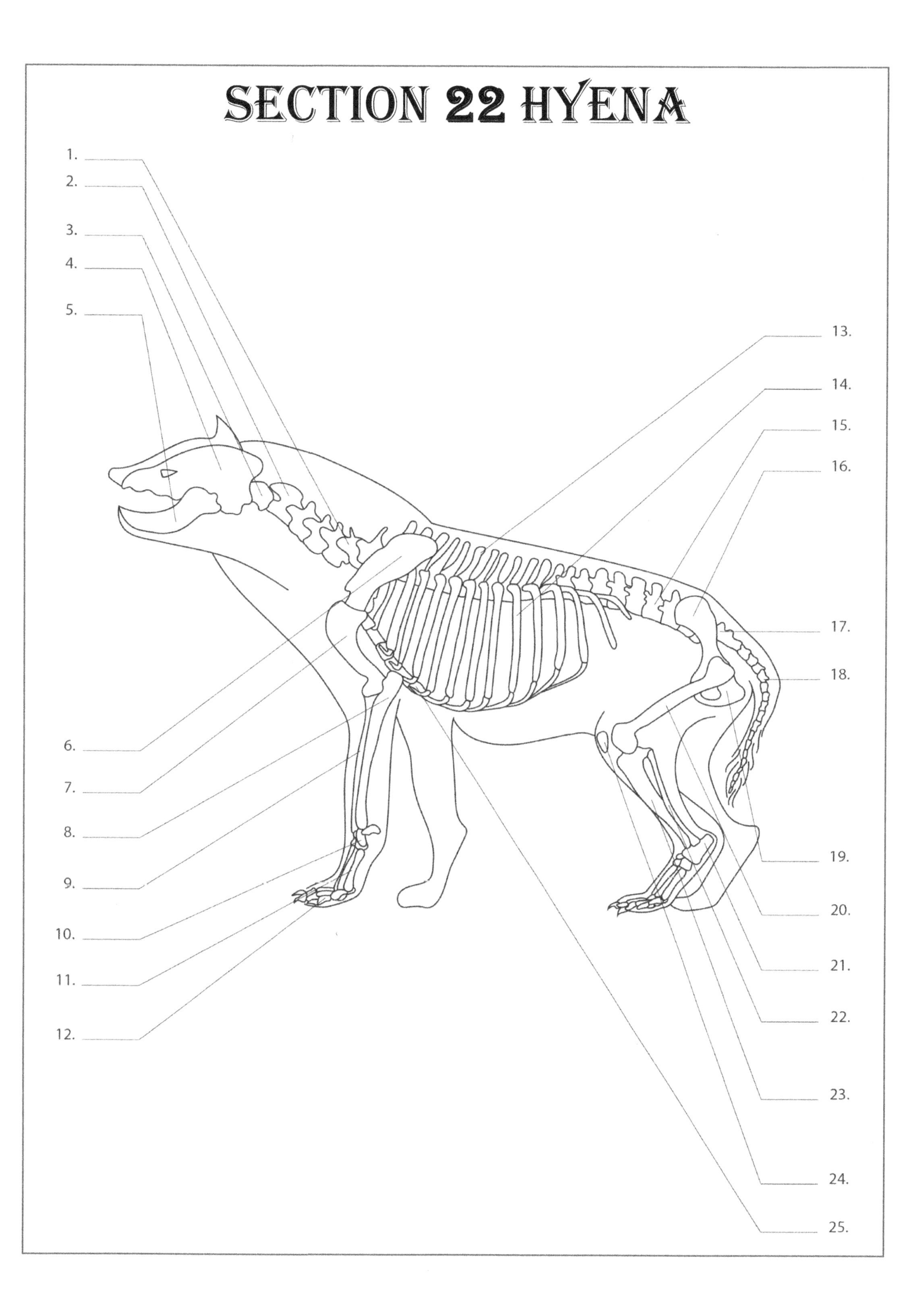
SECTION 22 HYENA
1.
2.
3.
4.
5.
6.
7.
8.
9.
10.
11.
12.
13.
14.
15.
16.
17.
18.
19.
20.
21.
22.
23.
24.
25.

SECTION 22 HYENA

1. Cervical vertebrae
2. Axis
3. Atlas
4. Skull
5. Mandible
6. Scapula
7. Humerus
8. Ulna
9. Radius
10. Carpals
11. Metacarpals
12. Phalanges
13. Thoracic vertebrae
14. Ribs
15. Lumbar vertebrae
16. Ilium
17. Sacrum
18. Caudal vertebrae
19. Ischium
20. Femur
21. Tarsus
22. Fibula
23. Tibia
24. Patella
25. Sternum

SECTION 23 ANT-EATER

1. ______

2. ______

3. ______

4. ______

5. ______

6. ______

7. ______

8. ______

9. ______

10. ______

11. ______

12. ______

13. ______

14. ______

15. ______

16. ______

17. ______

18. ______

SECTION 23 ANT-EATER

1. Cervical vertebrae
2. Skull
3. Muscle trapezius
4. Scapula
5. Sternum
6. Humerus
7. Radius
8. Ulna
9. Finger claw
10. Thoracic vertebrae
11. Ribs
12. Pelvis
13. Caudal vertebrae
14. Muscle external oblique
15. Femur
16. Fibula
17. Patella
18. Tibia

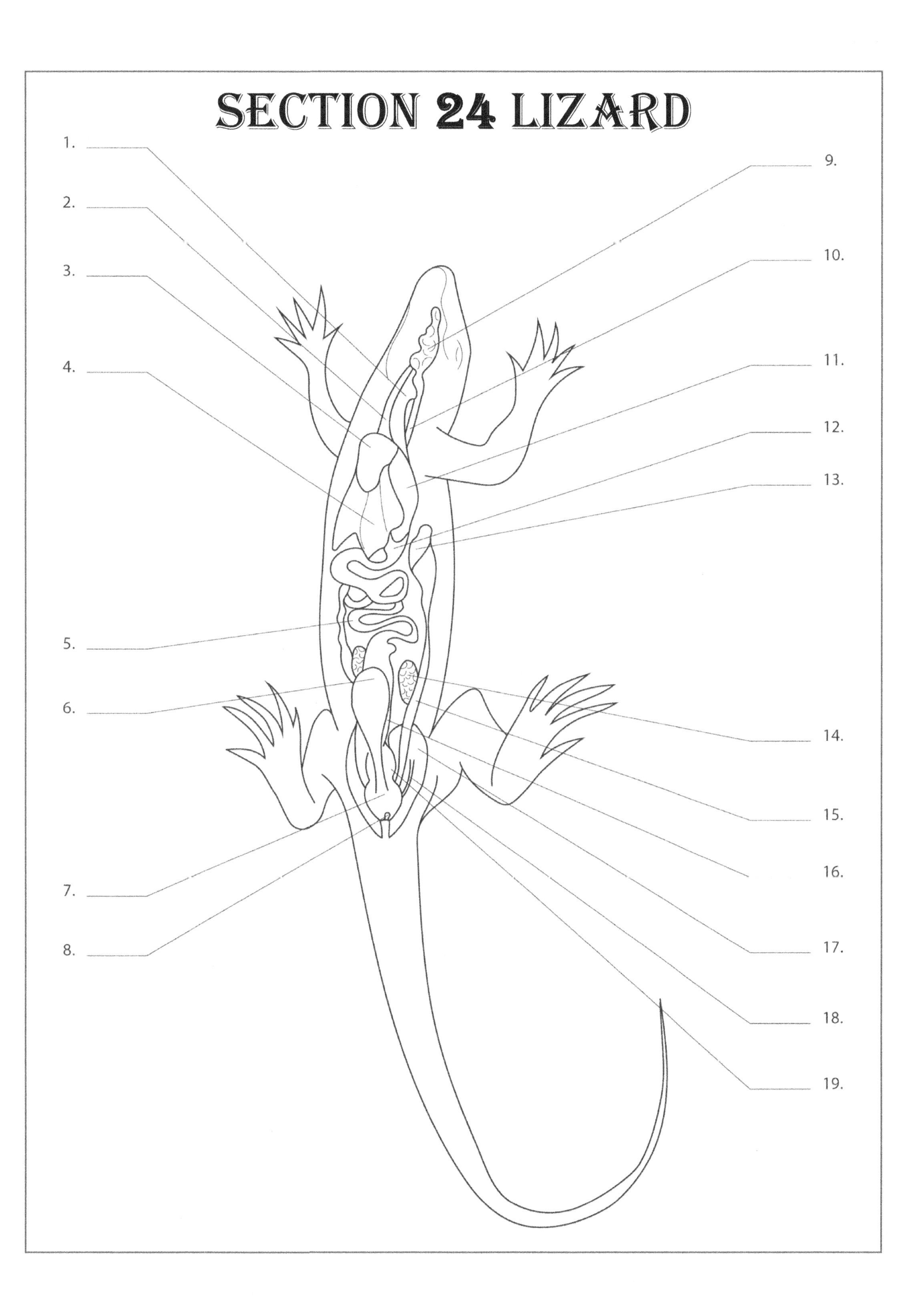
SECTION 24 LIZARD
1.
2.
3.
4.
5.
6.
7.
8.
9.
10.
11.
12.
13.
14.
15.
16.
17.
18.
19.

SECTION 24 LIZARD

1. Esophagus
2. Trachea
3. Heart
4. Liver
5. Small intestine
6. Bladder
7. Posterior chamber of cloaca
8. Cloacal opening
9. Brain
10. Spinal cord
11. Lung
12. Stomach
13. Funnel
14. Ovary
15. Oviduct
16. Rectum
17. Kidney
18. Ureter
19. Anterior chamber of cloaca

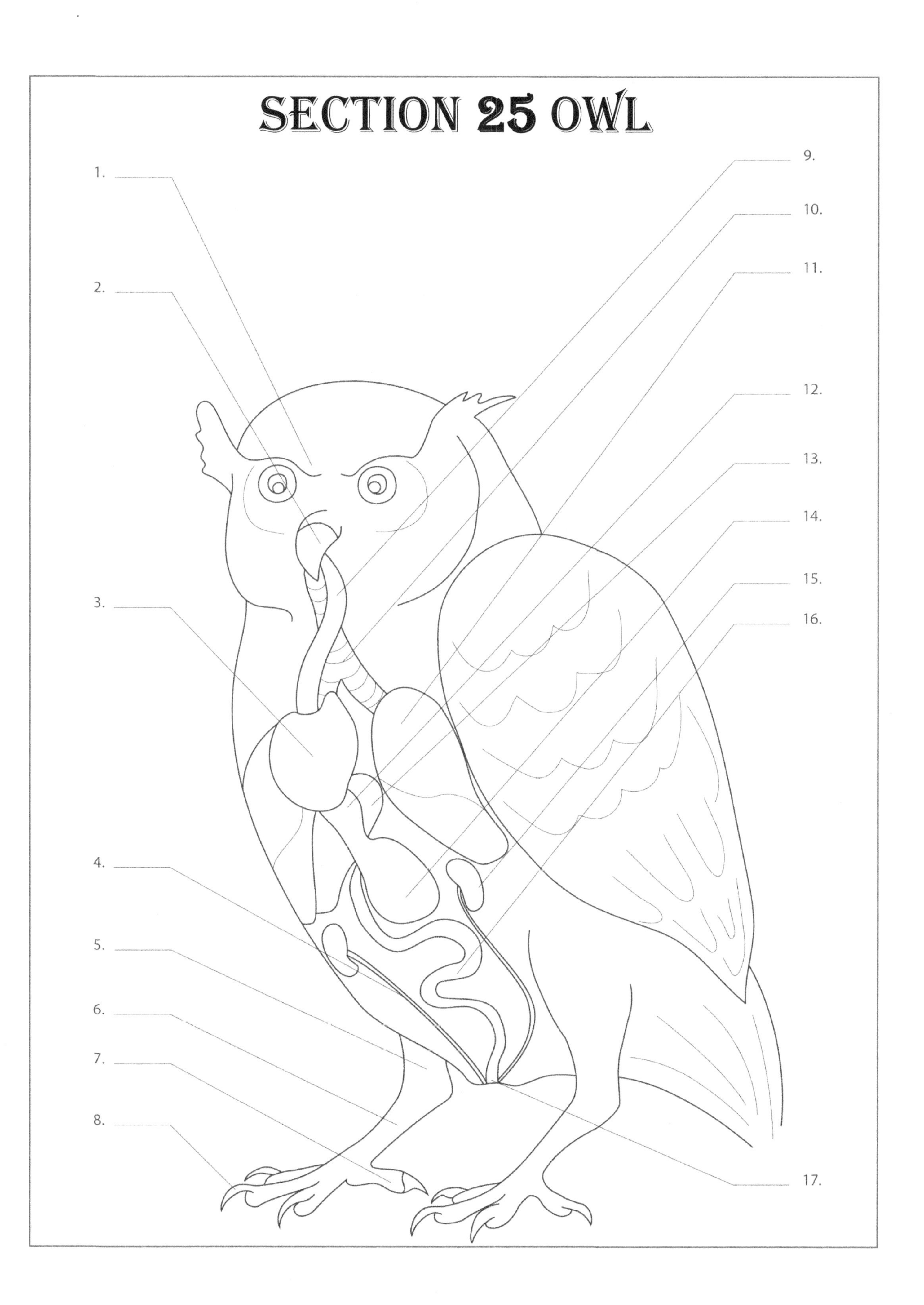
SECTION 25 OWL
1.
2.
3.
4.
5.
6.
7.
8.
9.
10.
11.
12.
13.
14.
15.
16.
17.

SECTION 25 OWL

1. Eyebrow or supercilium
2. Bill
3. Heart
4. Ureter
5. Tibia
6. Tarsus
7. Toe
8. Claw
9. Esophagus
10. Trachea
11. Lungs
12. Preventriculus
13. Liver
14. Gizzard
15. Kidney
16. Intestines
17. Vent

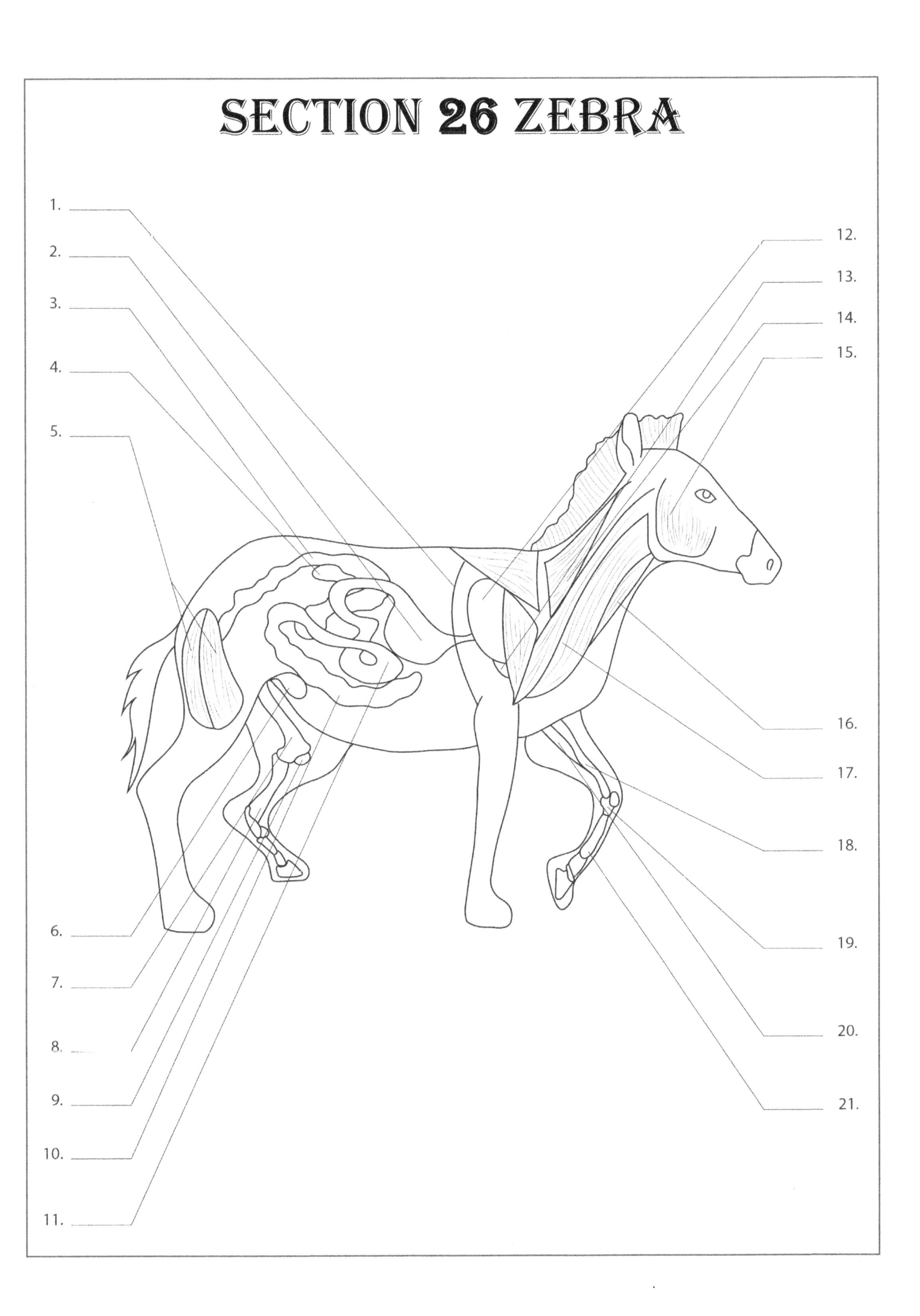
SECTION 26 ZEBRA
1.
2.
3.
4.
5.
6.
7.
8.
9.
10.
11.
12.
13.
14.
15.
16.
17.
18.
19.
20.
21.

SECTION 26 ZEBRA

1. Diaphragm
2. Stomach
3. Colon
4. Kidney
5. Muscle biceps brachii
6. Bladder
7. Femur
8. Tibia
9. Patella
10. Cecum
11. Small intestine
12. Lung
13. Heart
14. Muscle cervical rhomboideus
15. Muscle masseter
16. Muscle sternocephalicus
17. Muscle brachiocephalicus
18. Radius
19. Carpus
20. Ulna
21. Cannon bone

SECTION 27 HORSE

1.
2.
3.
4.
5.
6.
7.
8.
9.
10.
11.
12.
13.
14.
15.
16.
17.
18.
19.
20.
21.
22.
23.
24.
25.
26.
27.
28.
29.
30.
31.
32.
33.
34.
35.
36.

SECTION 27 HORSE

1. Atlas
2. Axis
3. Esophagus
4. Trachea
5. Sternocephaligus muscle
6. Scapula
7. Humerus
8. Cranial Superficial muscle
9. Heart
10. Ulna
11. Lung
12. Radius
13. Knee
14. Carpal bones
15. Cannon
16. Long pastern bone
17. Short pastern bone
18. Pedal bone
19. Liver
20. Spleen
21. Kidney
22. Large intestine
23. Tibia
24. Fibula
25. Tarsal bones
26. Splint bone
27. Cannon bone
28. Pastern bones
29. Pedal Bone
30. Vertebrae
31. Cecum
32. Small intestine
33. Stomach
34. Rectum
35. Pelvis
36. Femur

SECTION 28 FISH

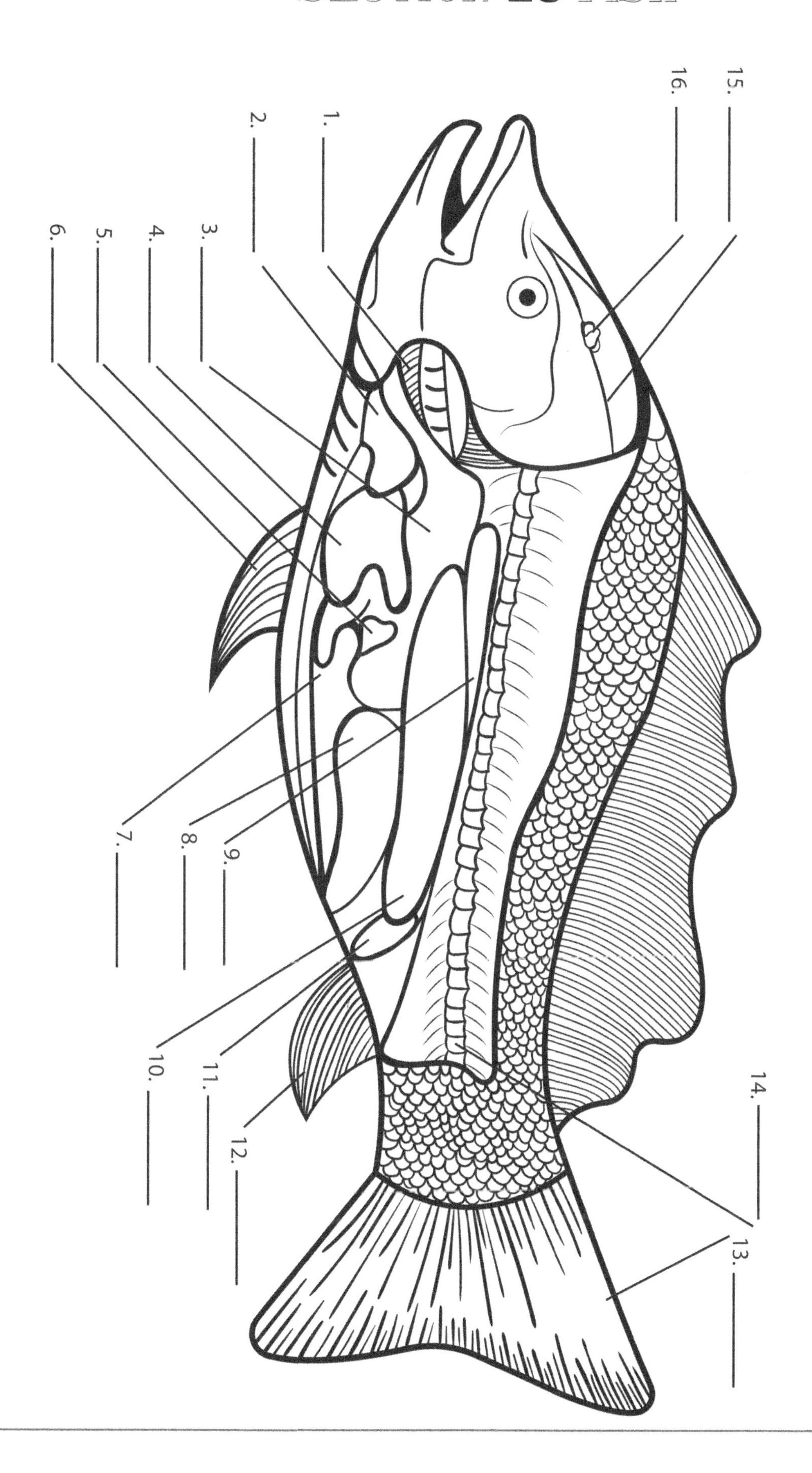

SECTION 28 FISH

1. Gill
2. Heart
3. Stomach
4. Liver
5. Spleen
6. Pelvic fin
7. Intestine
8. Gonad
9. Kidney
10. Swim bladder
11. Urinary bladder
12. Anal fin
13. Tail fin
14. Vertebral column
15. Spinal cord
16. Brain

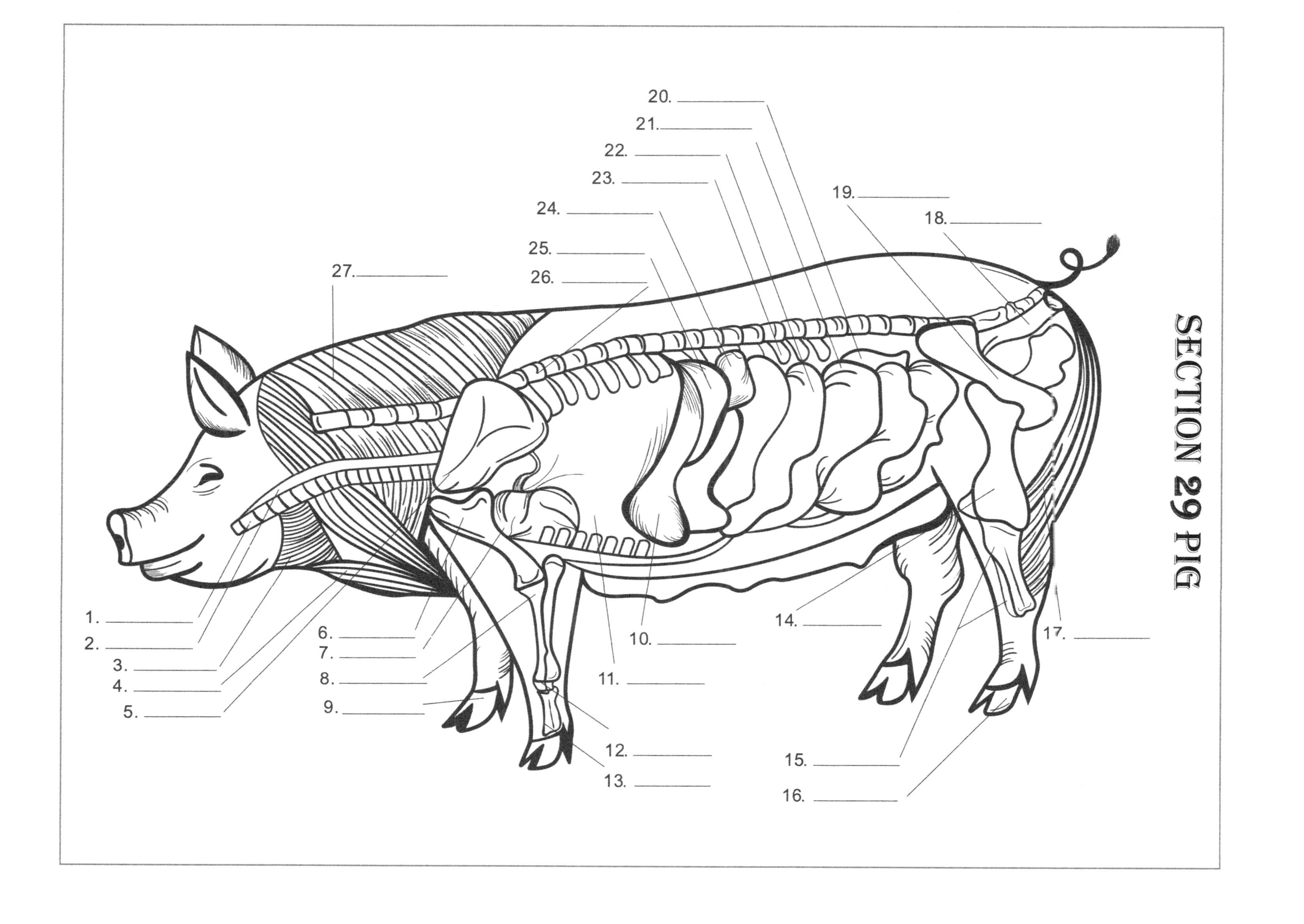
SECTION 29 PIG
1.
2.
3.
4.
5.
6.
7.
8.
9.
10.
11.
12.
13.
14.
15.
16.
17.
18.
19.
20.
21.
22.
23.
24.
25.
26.
27.

SECTION 29 PIG

1. Esophagus
2. Trachea
3. Masseter muscle
4. Sternohyoideus muscle
5. Scapula
6. Humerus
7. Heart
8. Radius & Ulna
9. Phalanges
10. Liver
11. Lungs
12. Carpus
13. Metacarpus
14. Fibula & Tibia
15. Tarsus
16. Phalanges
17. Biceps femoris muscle
18. Rectum
19. Femur
20. Cecum
21. Large intestine
22. Small intestine
23. Ribs
24. Spleen
25. Kidney
26. Vertebrae
27. Trapezius muscle

SECTION 30 CHICKEN

SECTION 30 CHICKEN

1. Nostril
2. Larnyx
3. Trachea
4. Esophagus
5. Crop
6. Heart
7. Gall bladder
8. Proventriculus
9. Spleen
10. Liver
11. Gizzard
12. Claw
13. Pancreas
14. Duoneal loop
15. Small intestine
16. Caeca
17. Large intestine
18. Cloaca
19. Oviduct
20. Ovary
21. Kidney
22. Lungs
23. Bronchial tubes
24. Spine
25. Brain

SECTION 31 COW

1. ______
2. ______
3. ______
4. ______
5. ______
6. ______
7. ______
8. ______
9. ______
10. ______
11. ______
12. ______
13. ______
14. ______
15. ______
16. ______
17. ______
18. ______
19. ______
20. ______
21. ______
22. ______
23. ______
24. ______
25. ______
26. ______
27. ______

SECTION 31 COW

1. Brachiocephalicus muscle
2. Sternocephalicus muscle
3. Trachea
4. Scapula
5. Humerus
6. Heart
7. Radius & Ulna
8. Carpal joint
9. Metacarpus
10. Pastern joint
11. Liver
12. Spleen
13. Omasum
14. Tibia & Fibula
15. Metatarsus
16. Coffin joint
17. Tarsal joint
18. Femur
19. Hip joint
20. Ischium
21. Vagina
22. Rectum
23. Illium
24. Rumen
25. Esophagus
26. Ribs
27. Trapezius

SECTION 32 SEA TURTLE

1. ________
2. ________
3. ________
4. ________
5. ________
6. ________
7. ________
8. ________
9. ________
10. ________
11. ________
12. ________
13. ________

SECTION 32 SEA TURTLE

1. Trachea
2. Esophagus
3. Lung
4. Kidney
5. Heart
6. Stomach
7. Liver
8. Marginal shell
9. Oviduct
10. Ovary
11. Cloaca
12. Intestines
13. Pancreas

SECTION 33 SHARK

1. ______
2. ______
3. ______
4. ______
5. ______
6. ______
7. ______
8. ______
9. ______
10. ______
11. ______
12. ______
13. ______
14. ______
15. ______
16. ______
17. ______

SECTION 33 SHARK

1. Esophagus
2. Gills
3. Cartilage
4. Fin cartilage
5. Pectoral fin support
6. Heart
7. Spleen
8. Uterus
9. Cadual fin
10. Cloaca
11. Intestine
12. Kidney
13. Liver
14. Vertebrae
15. Stomach
16. Dorsal fin

SECTION 34 DOMESTIC CAT

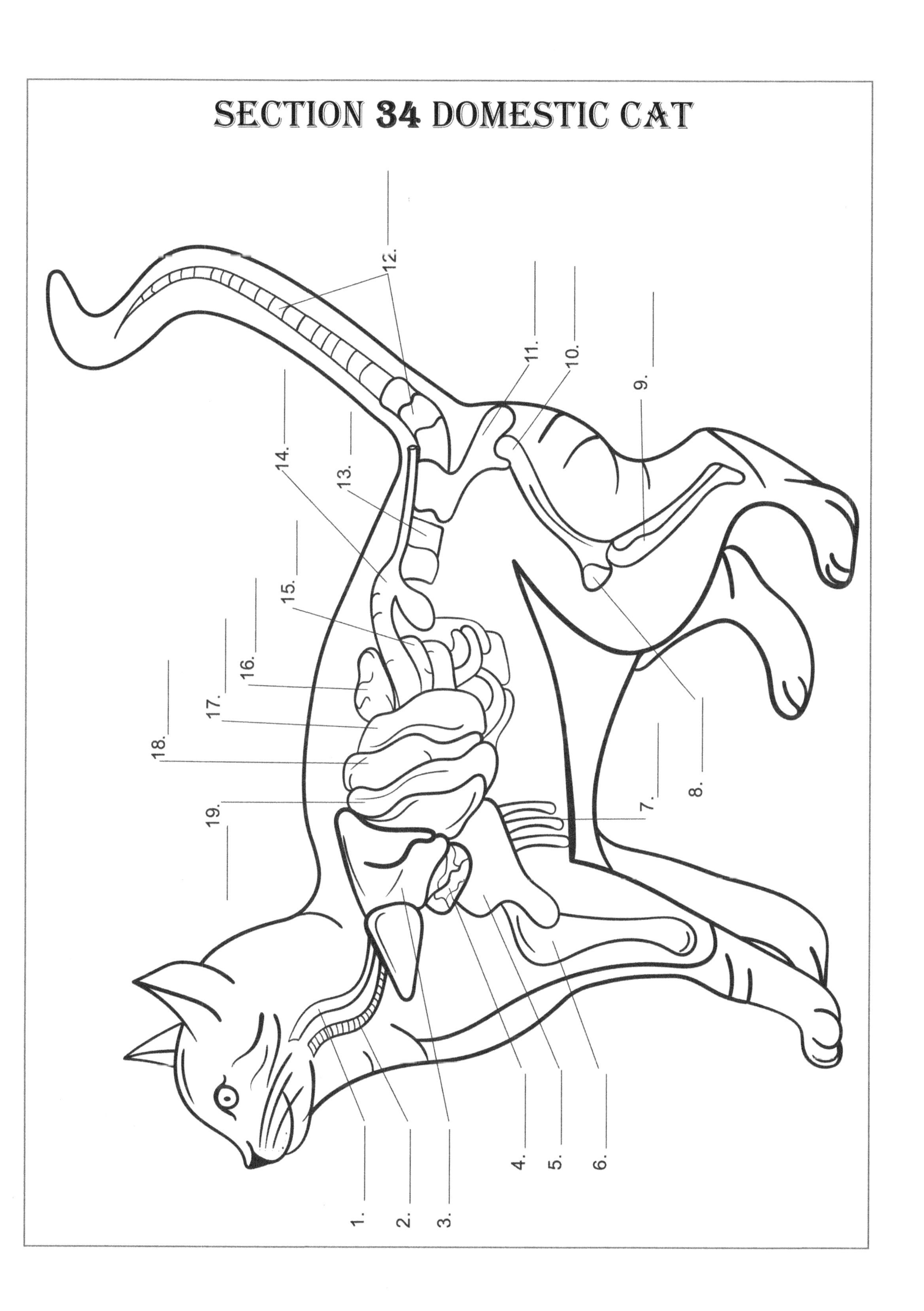

SECTION 34 DOMESTIC CAT

1. Esophagus
2. Trachea
3. Lungs
4. Heart
5. Scapula
6. Humerus
7. Ribs
8. Pattela
9. Tibia & Fibula
10. Femur
11. Pelvis
12. Coccygeal Vertebrae
13. Lombar vertebrae
14. Colon
15. Intestine
16. Kidney
17. Spleen
18. Stomach
19. Liver

SECTION 35 DOMESTIC DOG

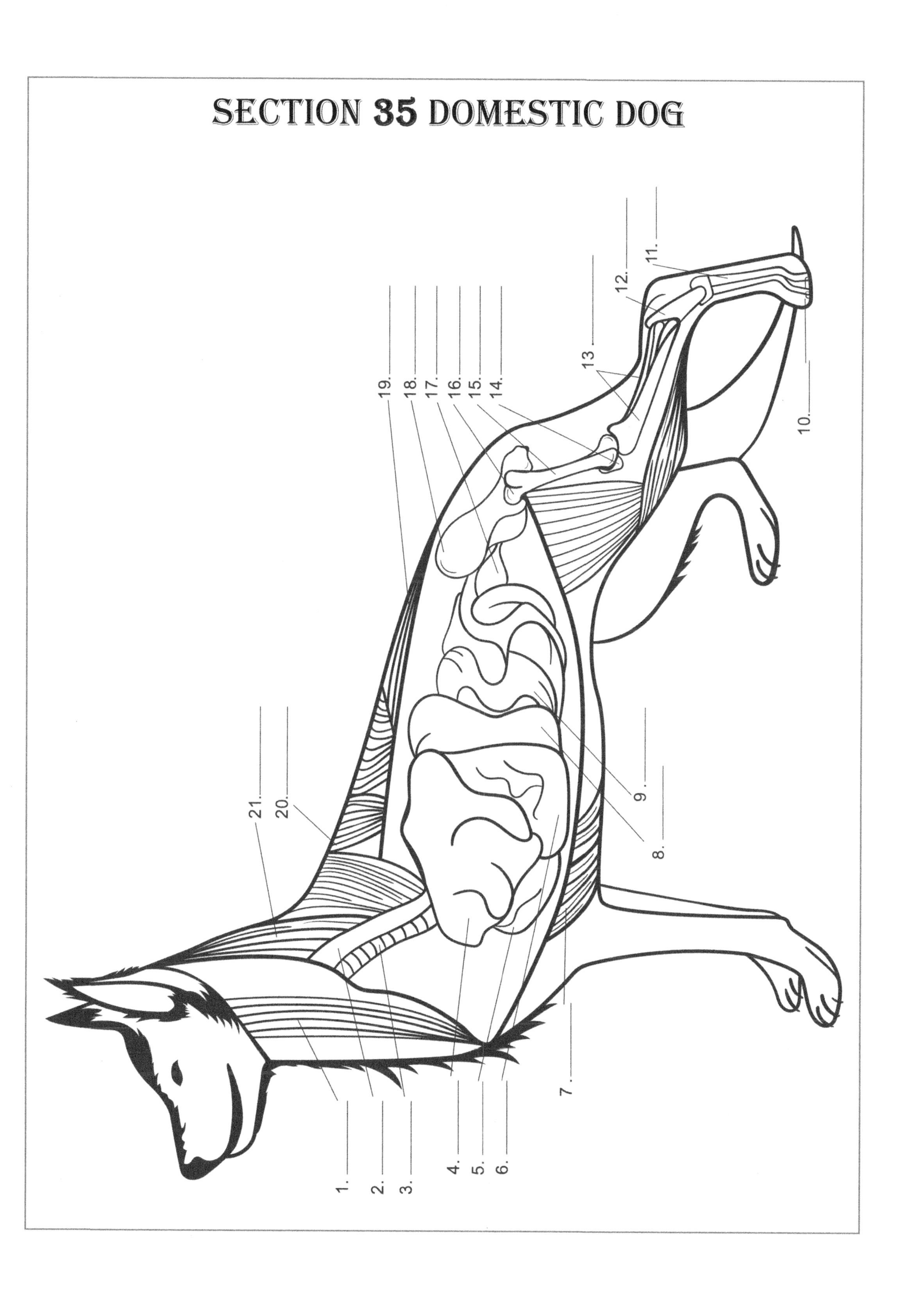

SECTION 35 DOMESTIC DOG

1. Sternomastoideus
2. Esophagus
3. Trachea
4. Lungs
5. Heart
6. Liver
7. Pectoralis profundus
8. Stomach
9. Intestine
10. Phalanges
11. Metatarsal bones
12. Hock Joint
13. Tibia & Fibula
14. Patella
15. Femur
16. Hip Joint
17. Kidney
18. Pelvis
19. Longissimus and Iliocostalis muscle
20. Trapezius
21. Cleidocervicalis muscle

SECTION 36 CROCODILE

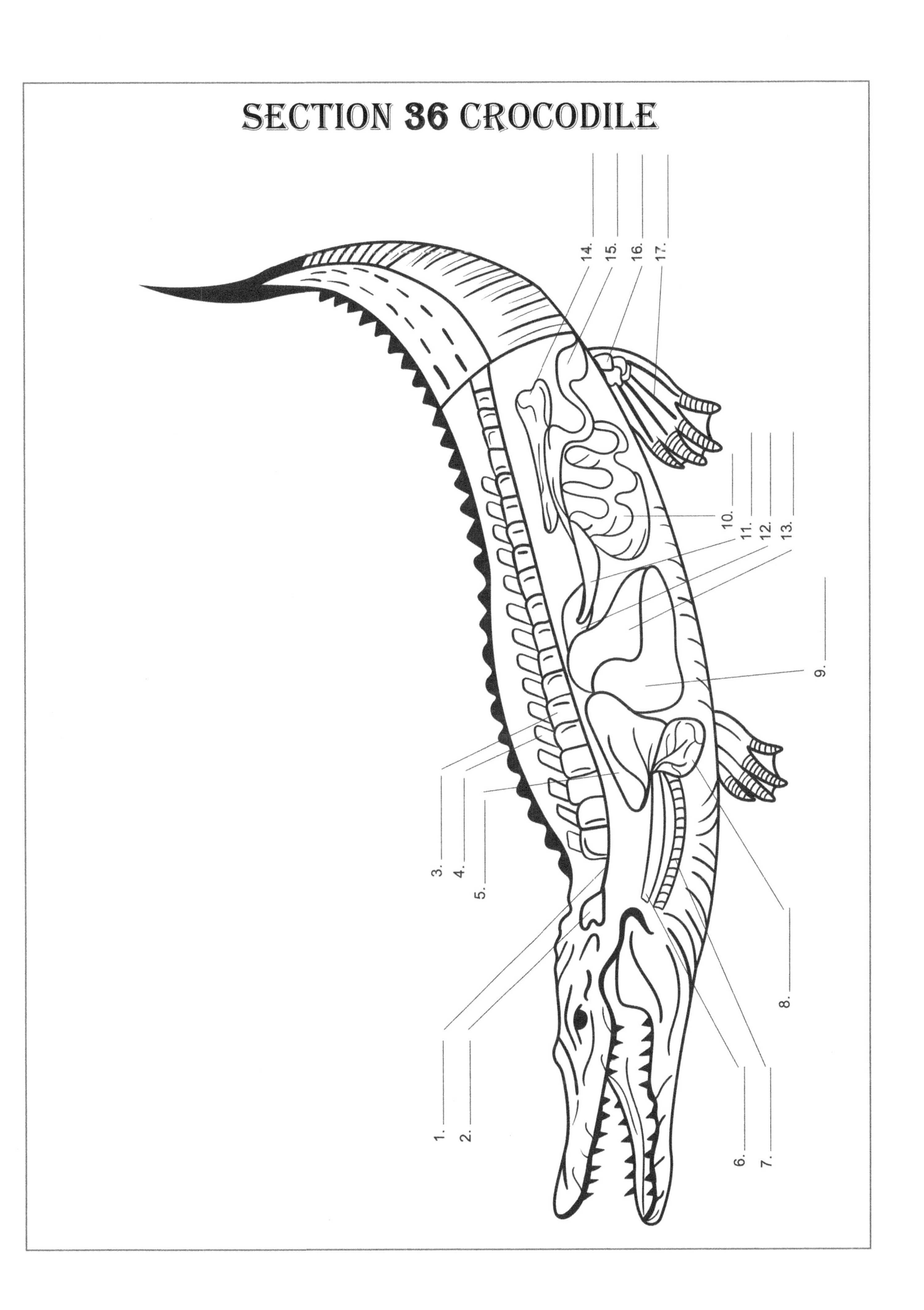

SECTION 36 CROCODILE

1. Spinal cord
2. Cerebellum
3. Vertebrae
4. Ribs
5. Lung
6. Esophagus
7. Trachea
8. Heart
9. Liver
10. Intestine
11. Testis
12. Spleen
13. Stomach
14. Kidney
15. Cloaca
16. Tarsus
17. Metatarsus

SECTION 37 RABBIT
1.
2.
3.
4.
5.
6.
7.
8.
9.
10.
11.
12.
13.
14.
15.
16.
17.
18.
19.

SECTION 37 RABBIT

1. Esophagus
2. Trachea
3. Scapula
4. Humerus
5. Lung
6. Heart
7. Phalanges
8. Radius & Ulna
9. Stomach
10. Liver
11. Rectum
12. Urethra
13. Large Intestine
14. Appendix
15. Ribs
16. Spine
17. Small intestine
18. Bladder
19. Vertebrae

SECTION 38 PIDGEON

1. ______________
2. ______________
3. ______________
4. ______________
5. ______________
6. ______________
7. ______________
8. ______________
9. ______________
10. ______________
11. ______________
12. ______________
13. ______________
14. ______________

SECTION 38 PIDGEON

1. Esophagus
2. Trachea
3. Lung
4. Crop
5. Heart
6. Gizzard
7. Kidney
8. Duodenum
9. Ureter
10. Cloaca
11. Rectum
12. Pancreas
13. Liver
14. Stomach

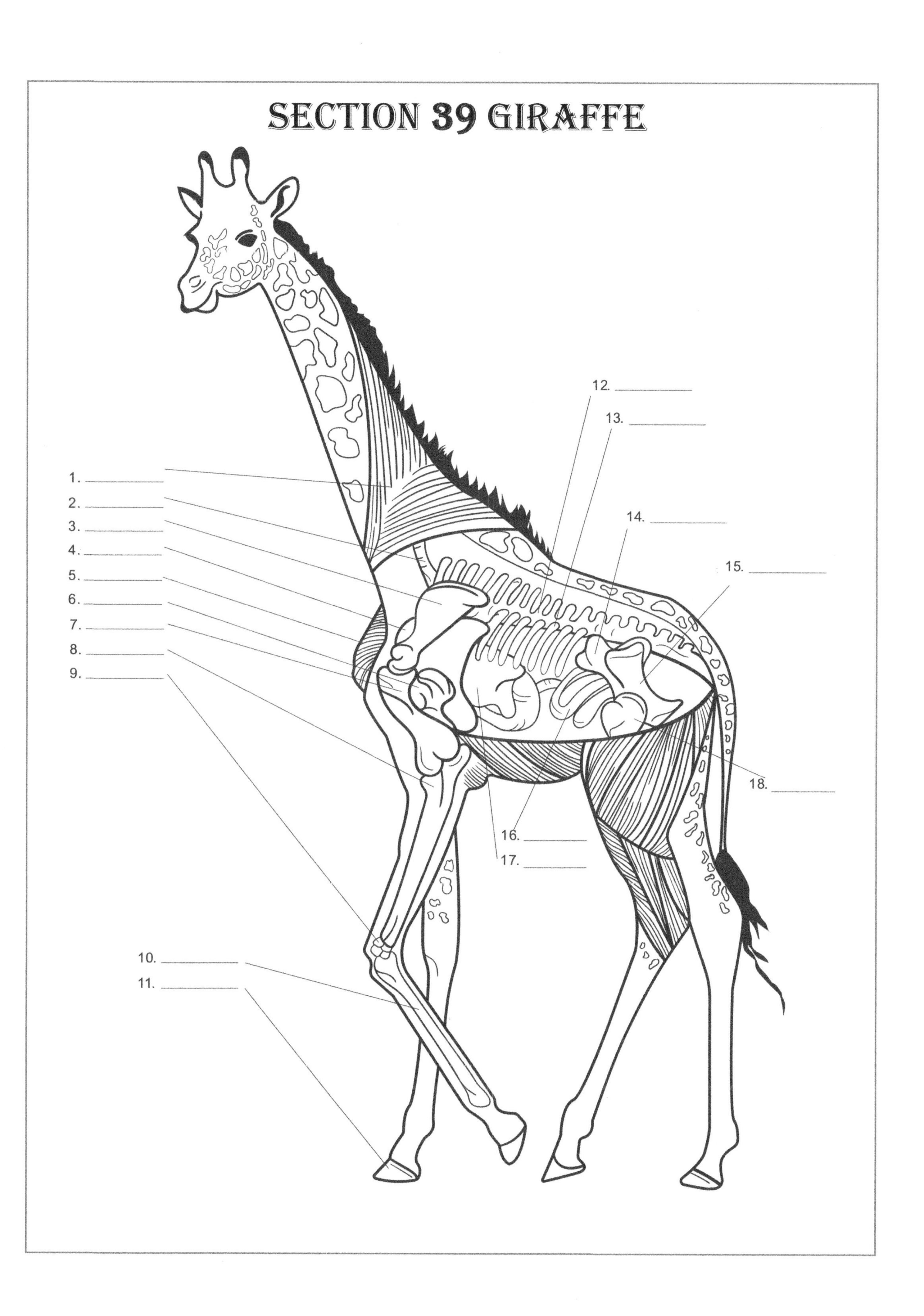
SECTION 39 GIRAFFE
1.
2.
3.
4.
5.
6.
7.
8.
9.
10.
11.
12.
13.
14.
15.
16.
17.
18.

SECTION 39 GIRAFFE

1. Trapezius
2. Esophagus
3. Scapula
4. Lung
5. Triceps
6. Heart
7. Humerus
8. Ulna
9. Carpus joints
10. Metacarpus
11. Phalanges
12. Vertebrae
13. Ribs
14. Ossa pelvis
15. Tibia
16. Intestine
17. Stomach
18. Patella

SECTION 40 ELEPHANT

1. ____
2. ____
3. ____
4. ____
5. ____
6. ____
7. ____
8. ____
9. ____
10. ____
11. ____
12. ____
13. ____
14. ____
15. ____
16. ____
17. ____
18. ____
19. ____
20. ____
21. ____
22. ____
23. ____
24. ____
25. ____
26. ____

SECTION 40 ELEPHANT

1. Vertebrae
2. Ovary
3. Kidney
4. Crest
5. Illium
6. Sacrum
7. Pelvis
8. Hip joint
9. Femur
10. Patella
11. Tuberositas tibiae
12. Tibia & Fibula
13. Calcaneus
14. Carpals & Metacarpals & Phalanges
15. Vastus lateralis
16. External abdominal obliques
17. Pectoralis
18. Lung
19. Heart
20. Urinary bladder
21. Uterus
22. Ribs
23. Large intestine
24. Small intestine
25. Stomach
26. Spleen

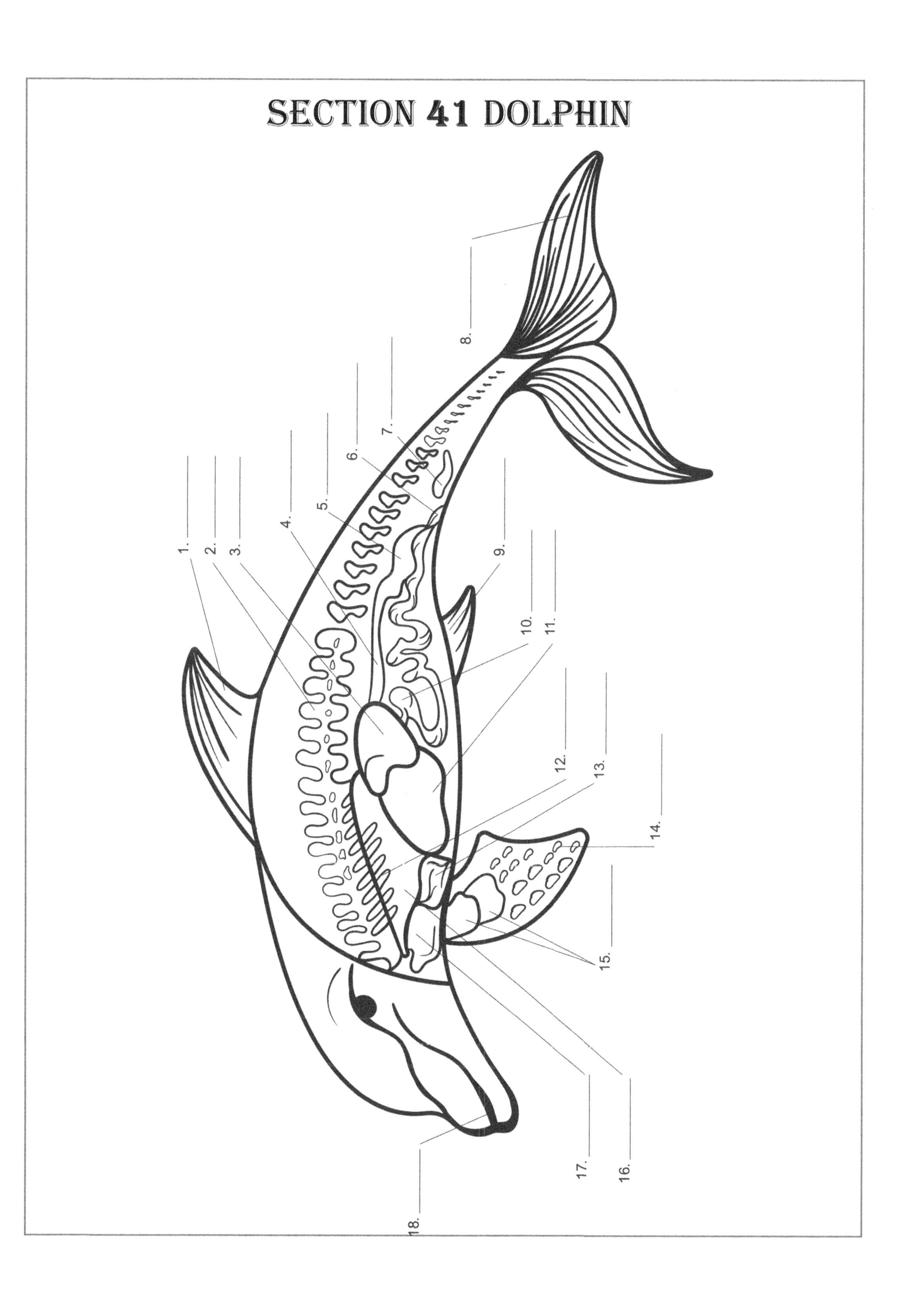
SECTION 41 DOLPHIN
1.
2.
3.
4.
5.
6.
7.
8.
9.
10.
11.
12.
13.
14.
15.
16.
17.
18.

SECTION 41 DOLPHIN

1. Dorsal fin
2. Spinal column
3. Stomach
4. Kidney
5. Anus
6. Urogenital slit
7. Pelvis
8. Fluke
9. Flipper
10. Intestine
11. Liver
12. Rib
13. Heart
14. Pectoral flipper
15. Humerus & Radius
16. Lung
17. Scapula
18. Rostrum

SECTION 42 SHEEP

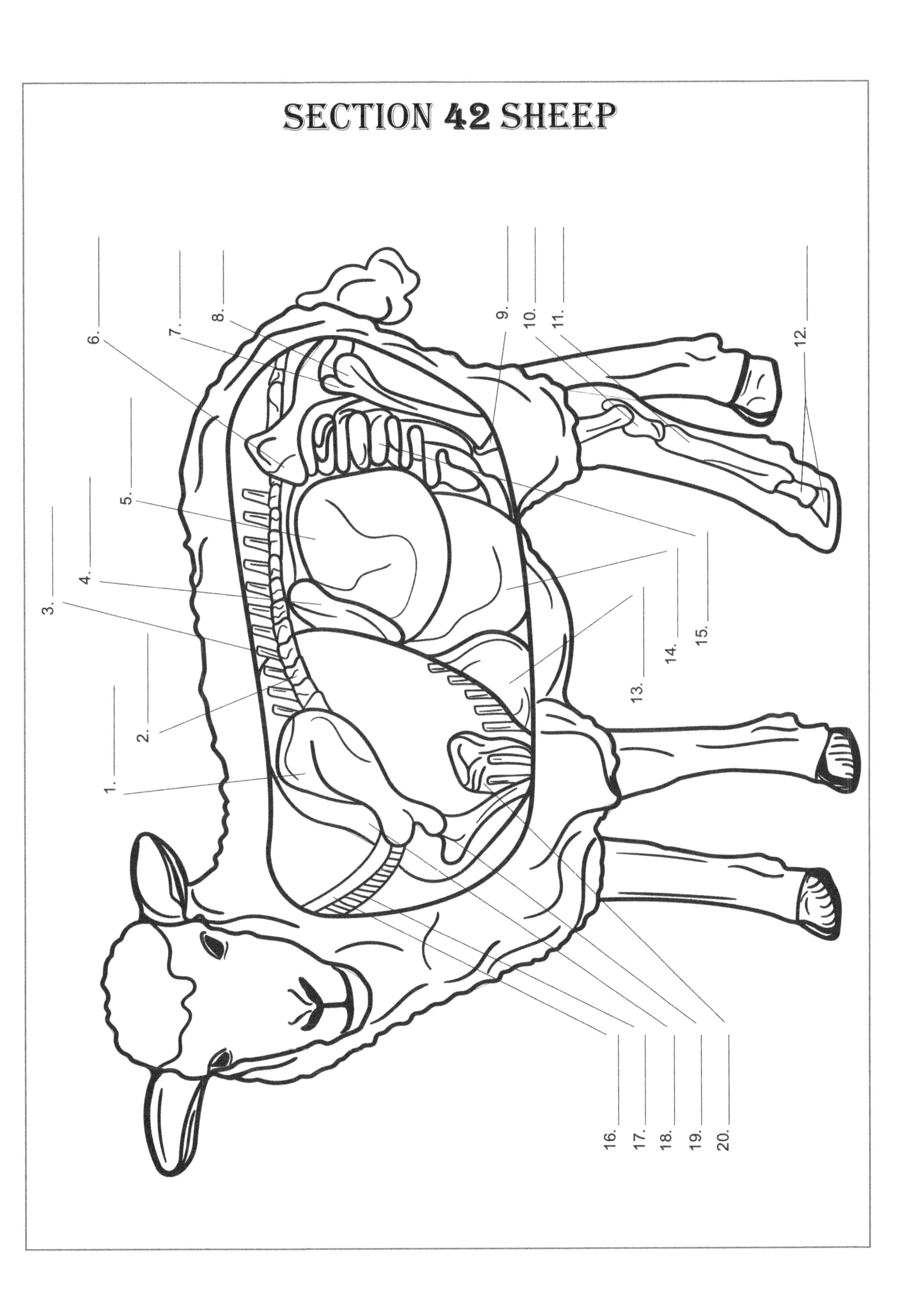

SECTION 42 SHEEP

1. Scapula
2. Vertebral column
3. Ribs
4. Spleen
5. Dorsal sac of rumen
6. Sacroiliac joint
7. Hip joint
8. Femur
9. Patella
10. Tarsal bones
11. Metatarsal bones
12. Phalanges
13. Abomasum
14. Ventral sac of rumen
15. Intestines
16. Esophagus
17. Trachea
18. Lung
19. Humerus
20. Heart

SECTION 43 GOAT

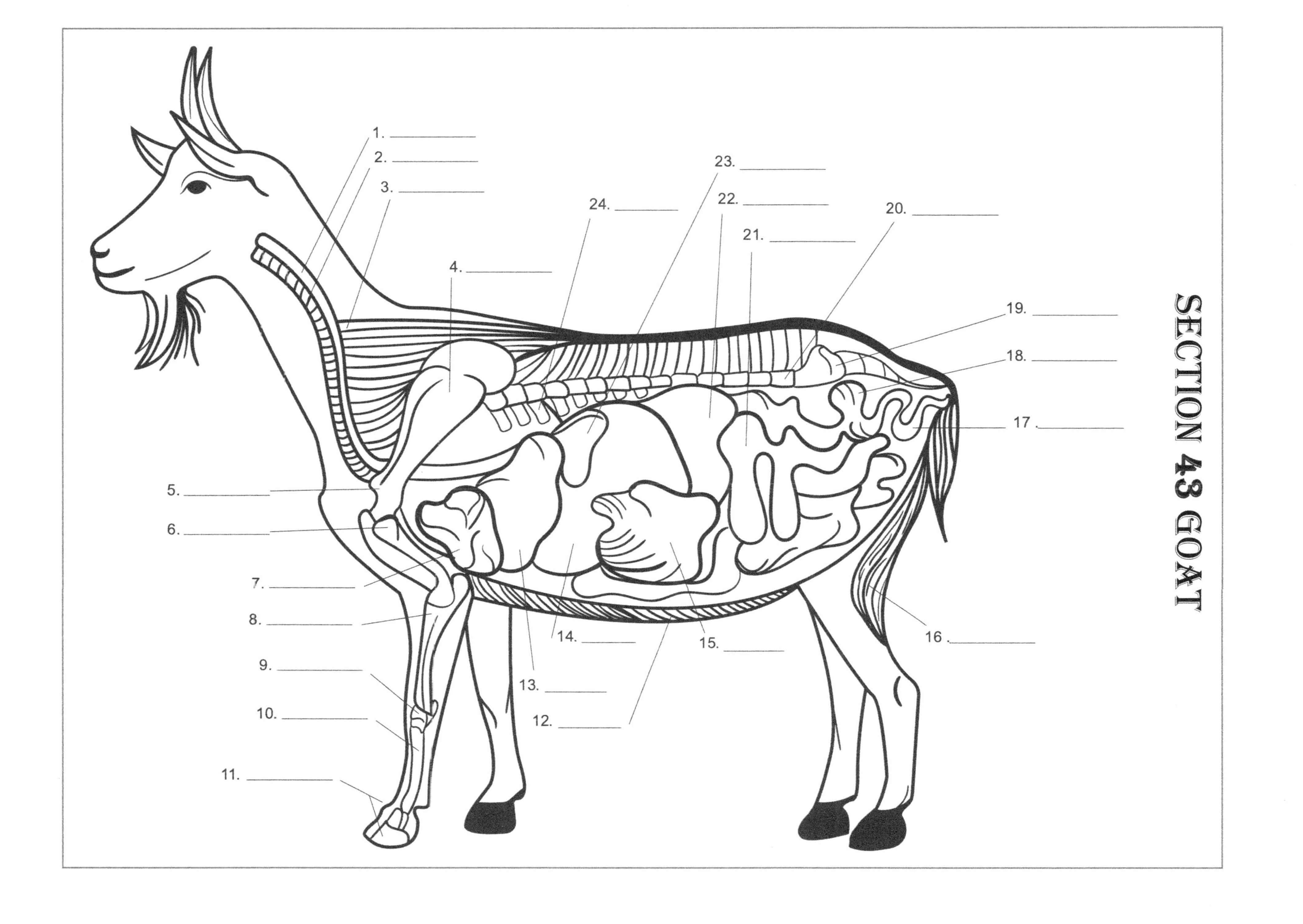

SECTION 43 GOAT

1. Esophagus
2. Trachea
3. Trapezius muscle
4. Scapula
5. Acromion
6. Humerus
7. Heart
8. Radius & Ulna
9. Carpal bones
10. Metacarpals
11. Bones of digits
12. Ascending pectoral muscle
13. Reticulum
14. Abomasum
15. Ventral sac of rumen
16. Peroneus longus
17. Rectum
18. Cecum
19. Sacrum
20. Vertebrae
21. Intestine
22. Dorsal sac of rumen
23. Spleen
24. Ribs

SECTION 44 RAT

1. ____________
2. ____________
3. ____________
4. ____________
5. ____________
6. ____________
7. ____________
8. ____________
9. ____________
10. ____________
11. ____________
12. ____________
13. ____________
14. ____________
15. ____________
16. ____________

SECTION 44 RAT

1. Spinal cord
2. Lung
3. Stomach
4. Spleen
5. Kidney
6. Large intestine
7. Small intestine
8. Caecum
9. Bladder
10. Preputial gland
11. Biceps femoris
12. External oblique
13. Liver
14. Biceps brachii
15. Heart
16. Trachea

SECTION 45 PENGUIN

1. ____________
2. ____________
3. ____________
4. ____________
5. ____________
6. ____________
7. ____________
8. ____________
9. ____________
10. ____________
11. ____________

SECTION 45 PENGUIN

1. Esophagus
2. Crop
3. Lung
4. Heart
5. Liver
6. Stomach
7. Small intestine
8. Gizzard
9. Kidney
10. Cloaca
11. Rectum

SECTION 46 SEAL

1.
2.
3.
4.
5.
6.
7.
8.
9.
10.
11.
12.
13.

SECTION 46 SEAL

1. Esophagus
2. Trachea
3. Lung
4. Stomach
5. Kidney
6. Large intestine
7. Pelvis
8. Bladder
9. Anus
10. Swimming muscle
11. Small intestine
12. Liver
13. Heart

SECTION 47 FROG

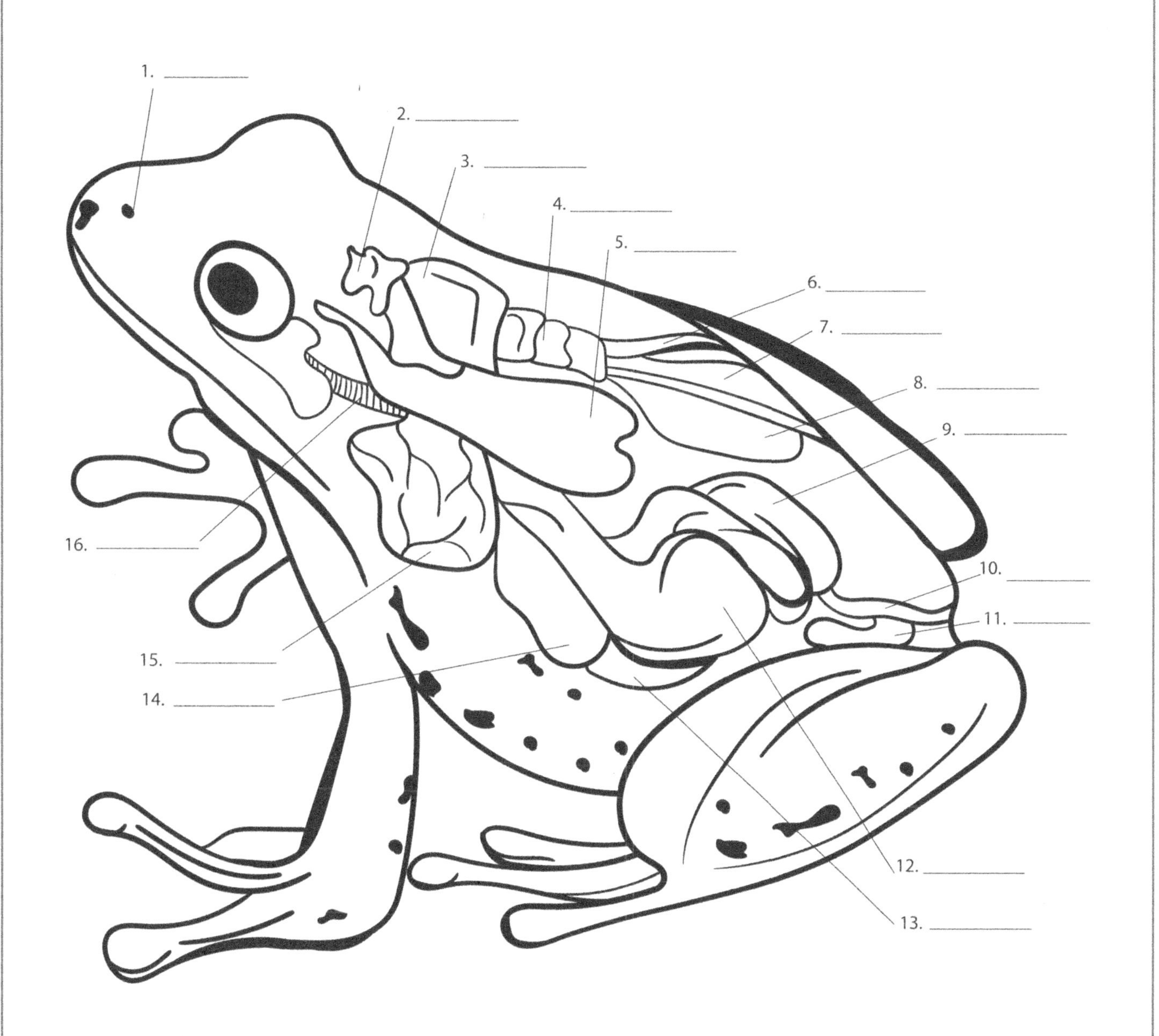

SECTION 47 FROG

1. External nares
2. Atlas
3. Scapula
4. Vertebrae
5. Lung
6. Urostyle
7. Sacrum
8. Kidney
9. Intestine
10. Cloaca
11. Bladder
12. Stomach
13. Pancreas
14. Liver
15. Heart
16. Trachea

SECTION 48 SERPENTINE

SECTION 48 SERPENTINE

1. Vertebrae
2. Ribs
3. Trachea
4. Esophagus
5. Lungs
6. Heart
7. Stomach
8. Liver
9. Pancreas
10. Gallbladder
11. Large intestine
12. Small intestine
13. Kidney
14. Rectum
15. Testes
16. Cloaca

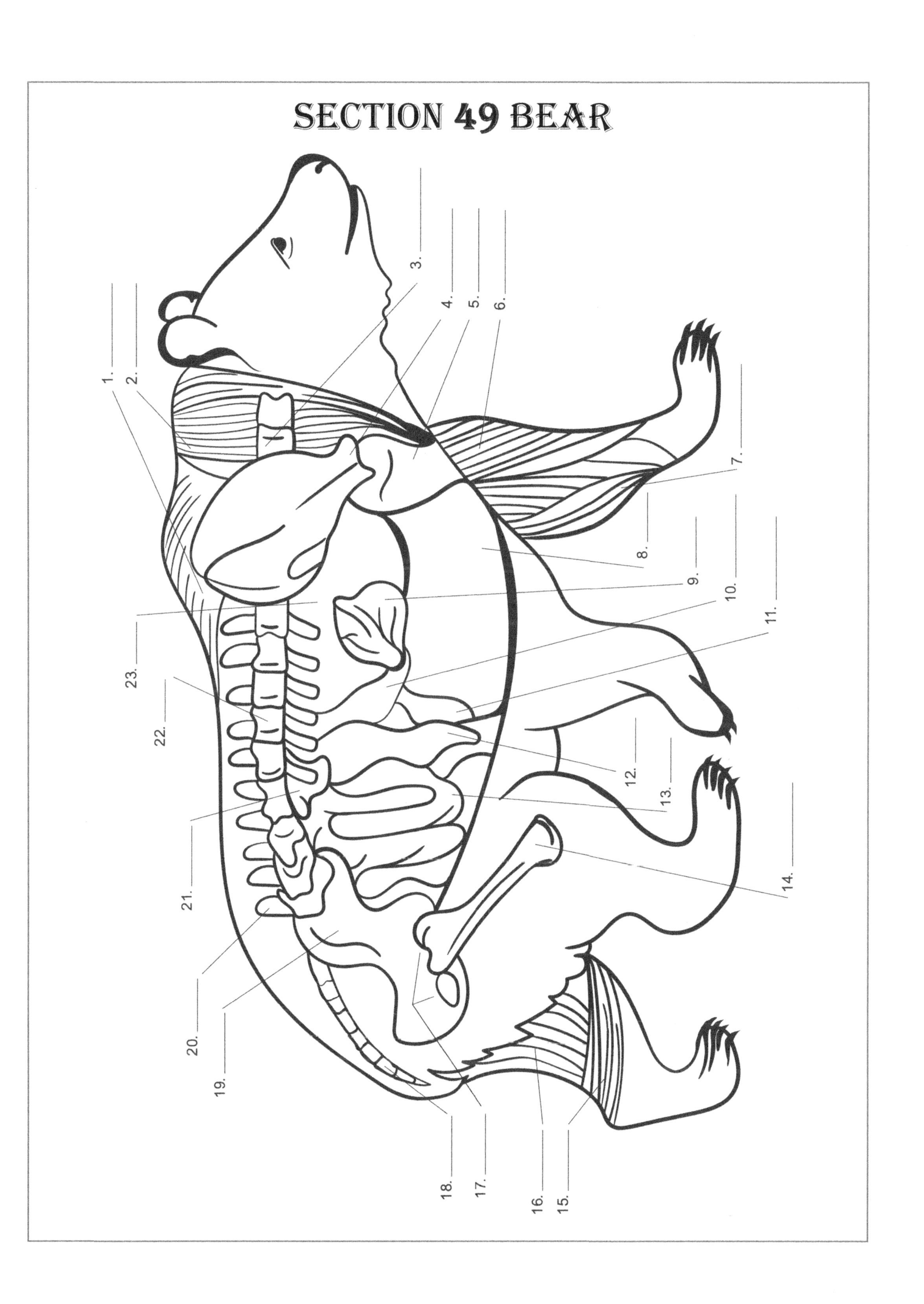
SECTION 49 BEAR
1.
2.
3.
4.
5.
6.
7.
8.
9.
10.
11.
12.
13.
14.
15.
16.
17.
18.
19.
20.
21.
22.
23.

SECTION 49 BEAR

1. Trapezius
2. Cephalohumeral
3. Cervical vertebrae
4. Scapula
5. Humerus
6. Extensor carpi radialis
7. Flexor carpi ulnaris
8. Stomach
9. Heart
10. Liver
11. Spleen
12. Diaphragm
13. Intestine
14. Femur
15. Gastrocnemius
16. Gluteus medius
17. Pelvis & Ischium
18. Caudal vertebrae
19. Illium
20. Ribs
21. Kidney
22. Thoracic vertebrae
23. Lung

SECTION 50 MONKEY

1. ____________
2. ____________
3. ____________
4. ____________
5. ____________
6. ____________
7. ________
8. ______
9. ______
10. ____________
11. ____________
12. ____________
13. ____________
14. ____________
15. ____________
16. ______
17. ______
18. ______
19. ______
20. ____________
21. ____________

SECTION 50 MONKEY

1. Esophagus
2. Clavicle
3. Humerus
4. Lungs
5. Heart
6. Stomach
7. Spleen
8. Large intestine
9. Bladder
10. Deltoid
11. Pectorals
12. Arm flexors
13. Liver
14. Extensors muscle
15. Flexors muscle
16. Small intestine
17. Cecum
18. Ovary
19. Urethra
20. Femur
21. Radius & Ulna

SECTION 51 SQUIRREL

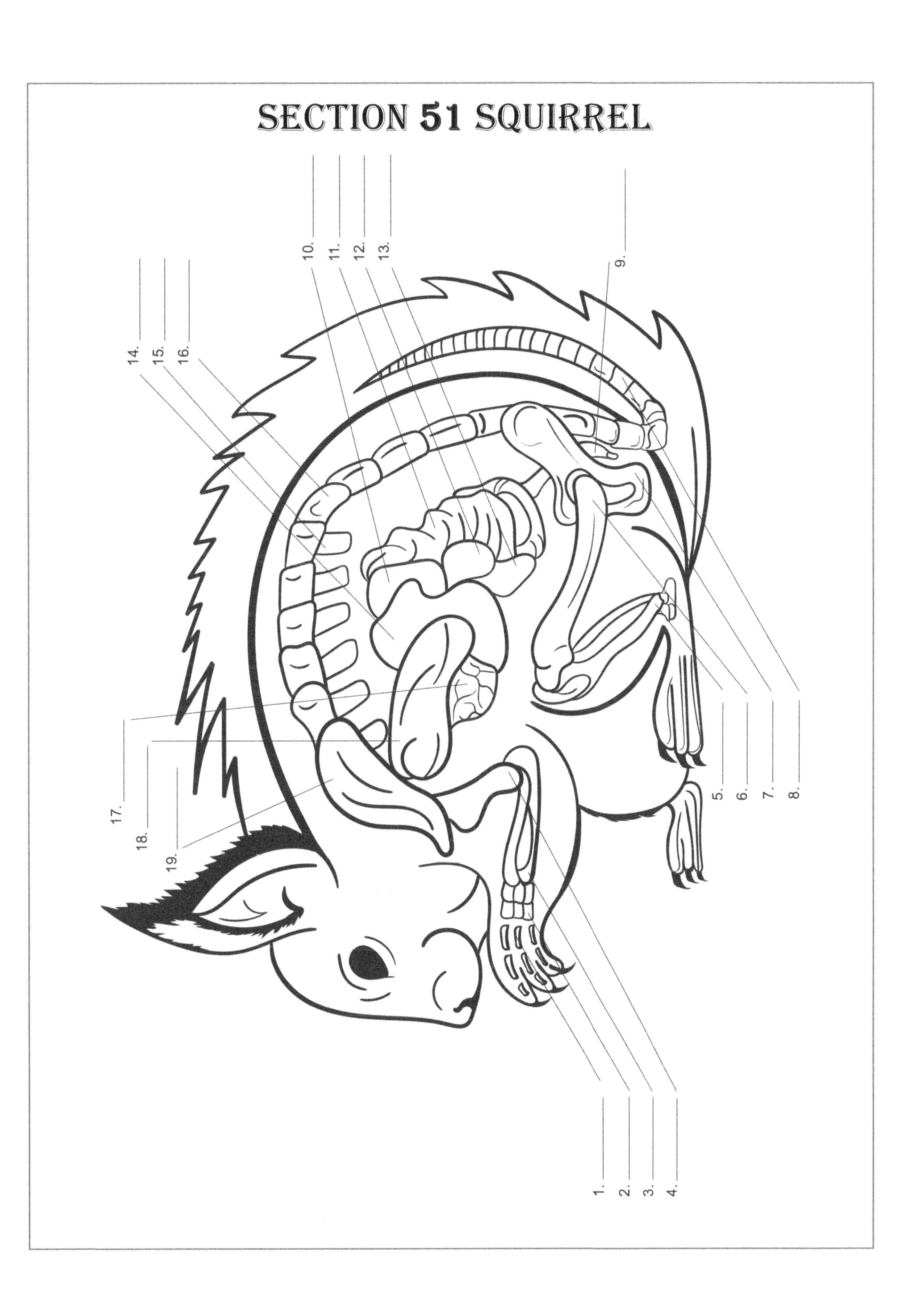

SECTION 51 SQUIRREL

1. Phalanges
2. Carpals & Metacarpals
3. Radius & Ulna
4. Humerus
5. Tibia & Fibula
6. Femur
7. Ischium
8. Caudal vertebrae
9. Urethra
10. Large intestine
11. Small intestine
12. Kidney
13. Liver
14. Stomach
15. Ribs
16. Vertebrae
17. Heart
18. Lung
19. Scapula

Made in the USA
Las Vegas, NV
24 November 2024